American Cancer Society
Nutrition and Physical Activity Guidelines for Cancer Survivors

「がん」になってからの食事と運動

米国対がん協会の最新ガイドライン

米国対がん協会 著
村木美紀子 訳
坪野吉孝 監訳・解説
早稲田大学大学院客員教授

法研

Nutrition and Physical Activity Guidelines for Cancer Survivors
by Cheryl L. Rock PhD, RD ; Colleen Doyle, MS, RD ; Wendy Demark-Wahnefried, PhD, RD ; Jeffrey Meyerhardt, MD, MPH ; Kerry S. Courneya, PhD ; Anna L. Schwartz, FNP, PhD, FAAN; Elisa V. Bandera, MD, PhD ; Kathryn K. Hamilton, MA, RD, CSO, CDN ; Barbara Grant, MS, RD, CSO, LD ; Marji McCullough, ScD, RD ; Tim Byers, MD, MPH ; Ted Gansler, MD, MBA, MPH
First published in CA: Cancer Journal for Clinicians 2012;62:242-274
doi: 10.3322/caac.21142

※

当書籍は、米国対がん協会（American Cancer Society）が発行する臨床医向けの専門誌『ＣＡ 臨床医のためのがん専門誌』（CA: A Cancer Journal for Clinicians）の 2012 年の 7/8 月号に掲載された「がん生存者のための栄養と運動のガイドライン」(Rock CL, et al. Nutrition and Physical Activity Guidelines for Cancer Survivors. CA Cancer J Clin 2012; 62: 242-274.) 全訳に日本版の詳細な解説を加えたものである。

がん生存者のための栄養と運動のガイドライン

Nutrition and Physical Activity Guidelines for Cancer Survivors

Cheryl L. Rock, PhD, RD[1]; Colleen Doyle, MS, RD[2];
Wendy Demark-Wahnefried, PhD, RD[3];
Jeffrey Meyerhardt, MD, MPH[4]; Kerry S. Courneya, PhD[5];
Anna L. Schwartz, FNP, PhD, FAAN[6]; Elisa V. Bandera, MD, PhD[7];
Kathryn K. Hamilton, MA, RD, CSO, CDN[8];
Barbara Grant, MS, RD, CSO, LD[9]; Marji McCullough, ScD, RD[10];
Tim Byers, MD, MPH[11]; Ted Gansler, MD, MBA, MPH[12]

がん生存者は、治療効果や生活の質を改善し、そして、できるだけ長く生きるため、食事の選択、運動、栄養サプリメントについての情報を大きな関心をもって探し求めます。この関心に応えるため、米国対がん協会（ACS）は、栄養学、運動、がん生存の専門家グループを招集し、がんと診断された後の適切な食生活と運動について、現在わかっている科学的知見と最善の臨床的取り組みを評価しました。この報告書はその結果をまとめたものであり、がん生存者とその家族が栄養と運動について十分な情報に基づいて選択できるよう支援するさいの、現時点での最善の情報を医療職に提供することを目的としています。この報告書では、がんのケアを継続的に行う中での栄養と運動のガイドラインについて考察しています。がんの治療中や末期がんの患者にとって大切なことも簡単に紹介しています。けれども、主な焦点としては、患者が治療から回復した後、がんが消失している時期、病状が安定している時期の患者のニーズをあつかっています。また、栄養と運動に関する問題（体重、食事の選択、食品衛生、サプリメントなど）、いくつかの特定のがんに固有の問題、そして、食事、運動、がん生存者として生きることに関する一般的な質問についても考察します。

CA Cancer J Clin 2012; 62: 242-274. © 2012 American Cancer Society.

[1] Professor, Department of Family and Preventive Medicine, School of Medicine, University of California, San Diego, La Jolla, CA; [2] Director, Nutrition and Physical Activity, Cancer Control Science, American Cancer Society, Atlanta, GA; [3] Professor and Webb Endowed Chair of Nutrition Sciences, University of Alabama at Birmingham, Birmingham, AL; [4] Associate Professor of Medicine, Dana-Farber Cancer Institute, Harvard Medical School, Boston, MA; [5] Professor and Canada Research Chair in Physical Activity and Cancer, University of Alberta, Edmonton, Alberta, Canada; [6] Affiliate Professor, University of Washington, Seattle, WA, Associate Professor, Idaho State University, Pocatello, ID; [7] Associate Professor, Department of Epidemiology, The Cancer Institute of New Jersey, New Brunswick, NJ; [8] Outpatient Oncology Dietitian, Carol G. Simon Cancer Center, Morristown Memorial Hospital, Morristown, NJ; [9] Oncology Nutritionist, Saint Alphonsus Regional Medical Center Cancer Care Center, Boise, ID; [10] Nutritional Epidemiologist, Epidemiology and Surveillance Research, American Cancer Society, Atlanta, GA; [11] Associate Dean for Public Health Practice, Colorado School of Public Health, Associate Director for Cancer Prevention and Control, University of Colorado Cancer Center, Aurora, CO; [12] Director, Medical Content, American Cancer Society, Atlanta, GA.

目次

装丁：林 健造
製作：株式会社 ウェルビ

はじめに

がん生存者とは、がんと診断された経験があり、がんと診断された時点からその後の人生を生きるすべての人を指しています。[1] 早期発見と早期治療の進歩により、今日の米国には*がん生存者が１２００万人以上おり、その数は継続的に増えています。そのため今日では、およそ米国人25人に１人ががん生存者ということになります。[1,2] 多くのがん生存者は、治療の効果を高め、早期に回復し、再発リスクを下げ、生活の質を改善するため、食事の選択、運動、サプリメント、相補的栄養療法などの情報に大きな関心をもち、情報を探し求めます。[3]

＊がん生存者が１２００万人以上
日本のがん患者数は推計約２３１万人（全国がん有病数将来推計値。２０１０～２０２９年の年平均：国立がん研究センターがん情報サービス：http://ganjoho.jp/professional/statistics/statistics.html）。

がんと診断されてからの期間は、⑴積極的治療とその回復期、⑵がんが消失するか病状が安定している生存者を含む回復後の生活、⑶末期がんと共に生きる時期、の3段階に分けることができます。今日では、がんと診断された*米国人のうち約68%は5年以上生存しており[4]、がん生存のどの段階にいるかで栄養上のニーズも異なります。治療が成功に終わることを期待し、経過の長期的な改善を求めるがん生存者にとって、十分な情報に基づいて自分にあったライフスタイルを選択することはとても大切です。がんと診断されてから長い期間が経過している生存者にとって、体重管理、健康的な食事、日常生活の中で体を動かすことなど、ライフスタイルに関する問題は、がんの再発や*二次がん、がん以外の慢性疾患を予防する上でとても関心が高いことでしょう。また、がんと共に生きる生存者にとっても、体に対する負担の大きい治療を受けた後に健康を取り戻すことや、必要な栄養を十分にとって日頃の生活を管理することは、重要な課題となっています。

がんと診断された後、生存者は、「食事を変えた方がよいか?」「もっ

米国人のうち約68%は5年以上生存しており

日本人では約57%（2000～2002年診断例の5年相対生存率、日本6地域のデータに基づく。国立がん研究センターがん情報サービス：http://ganjoho.jp/professional/statistics/statistics.html）。

二次がん

最初に発生したがんとは別の部位に、新しく発生するがん。

と運動した方がよいか？」「体重を増やすべきか、減らすべきか？」「サプリメントを飲むべきか？」というようなもっとも単純な疑問にさえ、はっきりした答えがほとんどないことに気づかされます。がん生存者は、食べるべき食物、避けるべき食物、どのように運動すべきか、（もしも飲むとして）どのようなサプリメントを飲むべきかなどについて、多くの情報源から様々なアドバイスを得ることになります。しかし残念なことに、それらのアドバイスは、たがいに矛盾し、データの裏付けがないことが少なくありません。

この報告書の概要

米国対がん協会（American Cancer Society: ACS）は、栄養学、運動、がんに関する専門家グループを招集し、がんと診断された後の適切な食生活と運動について、現在分かっている科学的知見と最善の臨床的取り組みを評価しました。この報告書ではそれらの結果をまとめ、２００６

年に公表された前版(5)の内容を更新しています。この報告書は、がん生存者をケアする医療職向けに書かれたものですが、がんと診断された後の栄養や運動に関心があるがん生存者やその家族にも参考となるものです。また今回の報告書でＡＣＳは、前版のものより短く簡潔にまとめた*がん生存者と介護者に対する勧告も掲載しています。２００６年に前版が発行されて以来、栄養、運動、生活の質の問題、合併症、がんの再発、二次がん、生存期間についての新たな科学的知見が得られています。これらの知見もまだ完全なものとは言えませんが、体重、食事、運動、サプリメントの使用などにかかわるいくつかの問題について、合理的な結論や勧告を知ることができます。

この報告書は４つの章に分かれています。第１章では、がんと診断されてから後、それぞれの段階での栄養と運動について紹介します。第２章では、がん生存者の体重管理、運動、食事の選択、飲酒、食品衛生についてのガイドラインを考察しています。第３章では、一部のがんにつ

がん生存者と介護者に対する勧告

表２「がん生存者の栄養と運動に関する米国対がん協会のガイドライン」（27ページ）参照。

いて、部位別の情報を示します。第4章では、多くのがん生存者が疑問に思う一般的な質問に対する回答を示しています。

医療職、がん生存者、介護者は、この報告書で考察されている栄養や運動の問題について、個々のがん生存者の治療状況や健康状態を全体的に把握した上で考えることが大切です。この報告書は、栄養や運動が、ほかの臨床治療やセルフケアよりも重要だとほのめかすことを意図するものではありません。例えば、便通の変化や倦怠感を感じている人に対する食事の助言を提示していますが、これらの症状をコントロールするためには、他の医学的な治療がより有効な場合があります。さらに、がんの部位によって標準的治療の選択肢が異なるように、栄養や運動が一部のがんには効果があっても、他のがんでは効果がない場合もあります。この報告書の勧告を記載するさいの前提となっているのは、がん生存者とその介護者が適切な医療とケアを受けており、さらに症状を改善し健康を増進するためのセルフケアについて質の高い情報を求めている状態にあるということです。

医師やその他の医療職は、個々の患者の状態を理解できる特別な立場にあるため、患者がどの段階にいるかにかかわらず、最適な生活習慣の助言を与え、経過に好ましい影響を与えることができます。医師の助言の力が、病気の予防行動をうながす上で有効であることは一貫して示されています。４５０人の乳がん生存者の研究[6]では、腫瘍専門医が運動を勧めただけで、患者の運動量が実際に大きく増加したという結果が得られています。これは、必ずしも医師が踏み込んで患者のカウンセリングをする必要があるということではありません。むしろ、患者に適切な情報を与えること、そして、患者にがんサポート療法の認定を受けた管理栄養士や運動トレーナーを紹介したり、生活習慣の改善を支援する分かりやすい自己学習用の冊子などを提供する必要があることを示しています。

第1章

がん生存の各段階における栄養と運動

がん生存者として生きる過程には、治療と回復の時期、がんの消失後や病状が安定した長期にわたる生活の時期、さらに、場合によっては、末期がんと共に生きる時期があります。これらの各段階で、栄養と運動に関するニーズはそれぞれ異なります。

がんの治療中と回復期の栄養

有効ながん検診や治療法がなかった時代、多くのがんは体重減少や悪*

液質など、末期がんに特徴的な症状が現れて初めて診断が下されました。さらに、がん治療中の患者の多くが経験する激しい悪心*や嘔吐を十分に治療できないことが多く、その結果、体重が大きく減少することも少なくありませんでした。こうした経緯から、がんは、肥満というよりは、体重減少に関係する病気であると考えられていました。しかし現在では、多くのがんの早期発見が可能となり、治療法もより効果的になりました。患者が過体重や肥満*の状態でがんの治療を開始するケースも増加しており[7]、治療中さらに体重が増加することも多くみうけられます[8]。がんの種類や診断時の状態により大きく異なりますが、がんは、マクロ*栄養素や微量栄養素*などの必要量に影響をおよぼす、代謝や体の状態を大きく変化させます[9]。食欲不振、早期の満腹感、味覚や嗅覚の変化、便通異常などの症状は、がんやがん治療の副作用としてよくみられるもので、そのことによって栄養摂取が不十分となり、栄養不良となる可能性があります。栄養不良や体重減少を経験する患者の割合は、がんの種類や診断時の状態により大きく異なりますが、一部のがんでは、急激な体

悪液質
がん組織が、他の正常組織が摂取しようとする栄養をどんどん取ってしまい、体が衰弱すること。

悪心
のどや胸、胃のあたりに感じる嘔吐が起こりそうな不快感。

過体重や肥満
肥満度は、体格指数（Body Mass Index: BMI）で判定する。ＢＭＩ＝体重（kg）÷身長（ｍ）÷身長（ｍ）。例えば、身長１６０㎝（１・６ｍ）、体重50kgの人のＢＭＩは、50÷１・６÷１・６＝19・53となる。本ガイドラインで

重減少や低栄養状態が早くから現れることがあります。[10] したがって、すでに栄養不良状態にある人や、消化管に影響をおよぼす抗がん剤治療を受けている人など、意図しない体重減少のリスクがあるがん生存者では、カロリーを十分摂取することが、さらなる体重減少を防ぐためにとりわけ重要です。[10][11]

手術、放射線療法、化学療法など、がんの主な治療法は、栄養必要量に影響をおよぼし、定期的な食習慣を乱して、食物の消化、吸収、利用にマイナスの影響を与える可能性があります。[9][12] したがって、がん生存者の栄養評価は、治療目標（根治、維持、緩和）を考慮に入れ、現状の栄養状態や病状に注意しながら、診断後できるだけ早期に行う必要があります。[12]

積極的ながん治療期にあるがん生存者に対する栄養療法の目標は、栄養不足を予防・解決し、標準体重を維持し、除脂肪体重*を保持し、栄養に関係する副作用を最小限に抑え、生活の質を最大限に高めることです。がん治療中の食事カウンセリングは、治療で生じる症状を少なくし、

は、ＢＭＩが25以上30未満を「過体重」、30以上を「肥満」と呼んでいる。日本では、一般に、25以上を「肥満」とする。

マクロ栄養素
カロリー源となる栄養素で、炭水化物、脂質、たんぱく質のこと。

微量栄養素
ビタミン類、ミネラル類など。

除脂肪体重
全体重のうち、体脂肪を除いた筋肉や骨、内臓などの総量のこと。

表1　＊がん専門栄養カウンセラーを探す方法

- がん生存者が栄養に関する問題を抱えている場合、医療職に管理栄養士、できれば腫瘍学栄養専門家の資格を持つ管理栄養士を紹介してもらうよう頼みましょう。
- がんの治療を受けている医療機関にがん専門の栄養士がいない場合は、かかりつけ医に栄養士の紹介を依頼するとよいでしょう。

米国栄養食糧学会（Academy of Nutrition and Dietetics）に相談し、居住地域で開業している栄養士がいるかどうか調べることもできます。

生活の質を改善し、食事摂取を改善するなど、経過を改善するために有効であることが、研究で確認されています[13]〜[16]。食事カウンセリングを行う腫瘍学栄養専門家をどのように探せばよいか、アドバイスを表1に示します。

各個人に応じた栄養学的助言を与えることで、食事摂取を改善し、がん治療に関連する毒性の一部を軽減できる可能性があります[9]。個別アドバイスが有効である例を以下に示します。

●食欲不振、早期満腹感、体重減少のリスクがある生存者は、水分を

＊がん専門栄養カウンセラーを探す方法
日本は米国より、がん専門の管理栄養士の数が少ないため、この表の助言がそのまま日本にあてはまるわけではない。

最小限に抑えた食事を、少量ずつ何回も摂取することで、全体の食事摂取量を増加させることができます。脱水症を防ぐため、水分は食事と食事のあいだに摂取するとよいでしょう。

●食物だけで必要な栄養を得ることができない場合は、栄養分を強化した市販や自家製の栄養飲料や食品を摂取することで、エネルギー（カロリー）や栄養素の摂取を改善することができます。

●これらの対応によっても必要な栄養を得ることができない場合や、栄養不良をきたすおそれがある場合は、食欲増進剤、*経管経腸栄養、*中心静脈栄養など、他の栄養療法が必要となるでしょう。

がん治療の時期に、ビタミン、ミネラル、その他のサプリメントを使うことについては、いぜんとして論争が続いています。たとえば、メトトレキサートなど、葉酸拮抗作用のある抗がん剤の治療を受けている患者が、*葉酸サプリメントや葉酸を強化した食品を摂取すると、治療効果が減弱する可能性があります[9]。多くのサプリメントには、一般的な食物に含まれる量や、適正に健康を維持するための*食事摂取基準の推奨量よ

経管経腸栄養
消化管内に管を通して体外から栄養を補給すること。

中心静脈栄養
心臓の近くの太い静脈にカテーテルを挿入し、そこから高カロリーの栄養を供給すること。

葉酸
ビタミンB群のひとつ。遺伝子の修復やたんぱく質の合成などに関係する。

食事摂取基準
栄養欠乏症を予防するための必要量（所要量）、過剰摂取による健康障害を防ぐ上限値(許容上限摂取量)

り多量の成分が含まれています。[17]〜[21] がん患者がサプリメントを使用した場合に、少量でも有害な作用を生じるという証拠が増えています。そのため多くのがん専門家は、治療中や治療後の時期には、サプリメントを使用しない、使用する場合でも不足を補う程度の量に留める、また、がんとは別の健康状態の改善を目的とした使用に限るよう助言しています。懸念される問題としては、放射線療法や抗がん剤が効果を発揮するために必要となるがん細胞内での酸化傷害を、サプリメントや抗酸化作用のある一部の食品が阻止してしまう可能性があることです。[22] 反対に、抗酸化剤によるこうした害の可能性はあくまで理論的なものにすぎず、放射線療法や抗がん剤による正常細胞へのダメージを抗酸化剤が保護するので、全体としては効果的だと主張する専門家もいます。[23][24] 一部のがん患者に対する特定のサプリメントの使用を否定する有力な根拠が存在するため、医療職やがん生存者は、サプリメントを使用するさいには十分に注意する必要があります。[25] サプリメントの使用に関心がある場合、まずは、がん生存者が特定の栄養素の欠乏状態にあるかどうかを確認し、その一

の数値の総称。日本人の食事摂取基準は次を参照。http://www.mhlw.go.jp/bunya/kenkou/sessyu-kijun.html

日必要量以上の摂取は避けるべきです。また、サプリメントの使用を、有益な可能性があり、害となるリスクが低いという科学的知見がある、骨粗鬆症*や黄斑変性症*のような慢性疾患の治療に限定すべきです。

がん治療中の運動

がんの初期治療中、運動を行うことに治療的価値があるかどうかを調べた研究が増えています[26,27]。これまでの知見から強くうかがわれるのは、がん治療中に運動することは安全で、実施可能であるだけでなく、身体機能、倦怠感、生活の質の様々な面も改善する可能性があることです[28]。また、運動することで化学療法の完了率が上昇することも示されています[29]。これまでの知見では、運動と抗がん剤の効果の関連性は明らかではありません。リンパ腫の患者で行われた少なくとも1件のランダム化比較試験*では、抗がん剤の効果に運動が悪影響をおよぼすことはありませんでした[30]。動物実験でも、運動が抗がん剤の効果に影響しないという

骨粗鬆症

骨密度の減少が進行して、徐々に骨がもろくなり骨折しやすくなる病気。

黄斑変性症

目の網膜にある黄斑部の異常により、視野が狭くなったり失明を招いたりする病気。主に加齢によるものと炎症によるものがある。

ランダム化比較試験

研究方法のひとつ。対象者をくじ引きと同様の方法で（ランダムに）グループ分けし、サプリメントを投与する群としない群や、食事療法を行う群と行わない群で、有効性や安全性を比

結果が得られています。[31]

いつから運動を始め、どのような方法で運動量を維持するかは、個々の患者の健康状態と希望により様々です。がん治療中に運動することで、治療による骨や筋力への影響、その他の生活の質への悪影響を改善することが期待できます。[32〜36]治療前から運動していた人が、抗がん剤治療や放射線療法を受けている場合は、治療中の運動はいつもより低強度にとどめ、運動時間もいつもより短めにする必要があるかも知れません。けれども、可能な限り活動性を保つことを主目標とすべきでしょう。一部の臨床家は、抗がん剤の副作用の程度をまず確かめてから、運動を始めるよう助言しています。がんと診断される前に運動不足だった人は、ストレッチや、短時間でゆっくりのウォーキングなど、低強度の運動から始め、徐々に運動量を増やしていくとよいでしょう。高齢者、骨転移や骨粗鬆症がある人、関節炎や末梢神経障害がある人は、転倒やけがのリスクを低減するため、安全性と運動による利益のバランスを考え、十分に注意しながら行うことが大切です。運動中に介護者やトレーナーに付き

べる。単一の研究の方法としては、もっとも信頼性が高いとされている。

添ってもらうとよいでしょう。ベッドで静養中は、心身の健康や体力が落ち、除脂肪体重の低下をきたすことが考えられます。ベッドでの静養中にも適度に体を動かすことは、体力や体の機能を維持するために望ましく、倦怠感やうつ症状を防ぐために役立ちます。

治療直後の回復期

がんの治療が終了したら、がん生存の次の時期は回復です。この段階では、多くの症状や、治療による栄養や体への様々な悪影響が改善しはじめます。通常、特定の治療を終えてから数週間から数か月後には急性の症状からの回復が期待できますが、場合によっては症状が継続することもあります。また、治療効果についても、治療後しばらくたってから（数か月から数年）現れる場合があります。[37]～[39] がんの治療による副作用や合併症の中で栄養状態に関係するものとしては、継続的な倦怠感、末梢神経障害、味覚の変化、咀嚼や嚥下の困難、治療終了後の除脂肪体重増加、下痢や便秘などの便通変化などがあります。

がん生存のこの時期には、継続的な栄養状態の評価と助言が必要な場合があります。[40]~[42] 治療による体重減少や栄養状態の悪化から解放された人には、回復の過程を通じて、症状緩和や食欲を刺激するための栄養カウンセリングや薬物療法などの、継続的なサポート療法が有用です。[13][43] 治療後、定期的に運動することは回復を早め、体力を改善するために大切です。

がん再発のない安定期

この時期に、体重管理、運動習慣、健康的な食事について、生涯にわたる目標を定め、達成しようと心がけることは、心身を健康に保ち、生活の質を高め、長寿を全うするために大切です。[44] がん生存者に関する研究は比較的新しく、最適な食事や運動についてさらに研究する必要があるものの、現在得られている科学的根拠に基づき、体重管理、運動、食生活という3つの基本的な分野について、勧告することできます。これらのガイドラインを、表2にまとめました。がんと診断された人が二次原発がん*を発症するリスクは非常に高いこと[45]、また、心血管疾患*、糖尿病、骨粗鬆症などの慢性疾患を発症するリスクもあることから、これらの疾患の予防に関するガイドラインも、がん生存者にとっては特に大切です。[46]~[51] がん生存者の家族も発がんリスクが高い場合があるので、「がん予防のための栄養と運動に関する米国対がん協会ガイドライン」*に従った生活を心がけるとよいでしょう。[52]

　肥満が、乳がん再発のリスクを高めるという確実なデータがあります。[53][54] また、他の部位のがんでも、肥満ががんの経過に影響するという証拠が増えてきています。[55]~[57] 一方、頭頸部がん、食道がん、肺がんなど、気道や消化器のがん患者は、診断の時点で栄養不良や低体重のことがあり、そのような場合は逆に体重を増やすことが効果的です。[58]~[61] このように、健康体重を目指し、維持すること、また、栄養価の高い食事を摂取し、運動する生活習慣を身につけることは、長期にわたって健康を維持する

二次原発がん
最初にがんが生じた部位とは別の部位に新しく生じるがん。

心血管疾患
狭心症や心筋梗塞などの心臓病や、脳梗塞などの脳卒中のように、心臓や脳の血管が詰まったり破れることで起きる病気。

がん予防のための栄養と運動に関する米国対がん協会ガイドライン
173ページ参照

表2　がん生存者の栄養と運動に関する米国対がん協会のガイドライン

健康的な体重を達成し維持しましょう。

- もし過体重や肥満の場合は、高カロリーの食物や飲料を制限し、減量するため運動量を増やしましょう。

定期的に運動しましょう。

- 運動不足を避け、診断後もなるべく早く通常の日常生活に戻るようにしましょう。
- 1週間に150分以上運動することを目標としましょう。
- 1週間のうち2日以上は筋力トレーニングを運動に含めましょう。

野菜、果物、*全粒穀物が多い食事パターンにしましょう。

- 「がん予防のための栄養と運動に関する米国対がん協会ガイドライン」に従いましょう。

全粒穀物

精製していない穀物。玄米、全粒小麦、雑穀（アワ、キビ、ヒエ、モロコシなど）など。食物繊維、ビタミン、ミネラル類が豊富に含まれる。

ために大切です。

がんの治療から回復する時期の、運動の効果を調べるため、多数の研究が行われてきました。また、がんの再発や長期の生存率に対する運動の影響について調べた研究も増えています。[28] 運動は、がん生存者の心血管能力、筋力、身体組成、倦怠感、不安、抑うつ、自己評価、幸福感、生活の質のいくつかの側面（身体、機能、感情）を改善することが示されています。さらに、特定の部位のがんに特徴的な症状や、特定の治療法の副作用（乳がん患者のリンパ浮腫など）に的を絞った研究では、運動によりがんの部位に固有の症状も改善することが示されています。20件以上の*前向きコホート研究で、運動をするがん生存者は、がん再発のリスクが低く、生存期間も長いことが示されています。けれども、これらの研究の対象となったのは、乳がん、大腸がん、前立腺がん、卵巣がんに限られており、運動の効果をより正確に理解するためには、ランダム化比較試験を行う必要があります。[62]~[65]

前向きコホート研究

研究方法のひとつ。対象集団に対して食事や運動などの生活習慣を調べた後、数年から十数年の追跡調査を行って病気の発生や再発などを確認し、生活習慣と病気の関連を調べる。信頼性は比較的高い。しかし、例えば、健康的な食物を多く食べるグループでは喫煙者が少ないような場合には、食物の効果を実際以上に過大評価するなどの限界がある。

進行がんと共に生きる

進行がんと共に生きる人々にとって、健康的な食事とある程度の運動を行うことは、健康感を保ち、生活の質を高める大切な要素です。進行がんでは大幅な体重減少を伴うことが多いものの、がん患者は必ずしも体重減少や栄養不良が避けられないというわけではありません[9]。進行がん患者の多くは、必要な栄養を確保し、がんの症状や、倦怠感、便通の変化、味覚の低下や食欲の減退など、がんの治療が引き起こしうる副作用に対処するために、食物の選択や食事のパターンを調節することが必要です。食欲不振、体重減少、体重の増加困難に対しては、一部の薬物療法（例えばメゲストロール酢酸エステル*）が食欲増進に役立つという証拠があります[66]。

通常の食物や飲料から十分なエネルギー量を確保することが難しい人は、高カロリー飲料や食品で栄養補給することもできます。経腸栄養や腸管外栄養の実施を考える場合は、患者それぞれの全般的な治療目標（病

メゲストロール酢酸エステル
日本では未承認。

勢の制御なのか症状緩和なのか）、合併症のリスク、倫理的な配慮を十分に考察した上で、それぞれの患者に最適な形で行うことが大切です。米国静脈経腸栄養学会[67]（American Society for Parenteral and Enteral Nutrition）と米国栄養食糧学会（Academy of Nutrition and Dietetics）の意見書では、栄養サポートは対象者をきちんと選択し、明確な目的をもって行うことを勧告しています。[68][69]

数件のシステマティックレビュー*によると、進行がんの人が、ある程度のレベルの運動を行うことは可能であり、それが生活の質や身体機能の改善に役立つ可能性があることを示していますが、これは特定のがんに限定されるものと考えられます。[70][71]したがって、進行がんの患者にとって運動が有益であることを示す科学的根拠は、一般的な勧告として示すにはまだ不十分です。進行がんと共に生きる人々に栄養と運動に関する助言を行う場合は、患者それぞれの栄養ニーズと身体能力に基づいて考えることが最善です。

システマティックレビュー

研究方法のひとつ。例えば特定の栄養素と特定の病気との関係について、一定の基準を満たした質の高い研究を医学文献データベースを使って網羅的に集め、個々の研究の結果をまとめて総合評価を行うこと。その総合評価の論文も、システマティックレビューと呼ばれる。

第2章 がん生存者の栄養と運動に関する特定の問題

体重

肥満は、米国に蔓延する問題であり[72]、もっとも頻度の高い一部のがんの確実なリスク因子です[52]。過体重と肥満は、閉経後乳がん[73]、大腸がん[74]、子宮体がん、食道・腎臓・膵臓の腺がん[47][75]の発症リスクの上昇と関連することが確実になっています。また、肥満は、胆のうがんの発症リスク上昇との関連もおそらく確実であり[47]、肝臓がん、子宮頸がん、卵巣がん、非ホジキンリンパ腫、多発性骨髄腫、悪性度の高い前立腺がんの発症リスク上昇との関連も、可能性があります。[52] 実際、多くのがん生存者が、診断の時点で過体重や肥満の状態にあります。肥満が、がん患者の再発リスクを高め、無病生存率*や全生存率*を下げる可能性があることを示す科学的根拠が増えています。[53][54][63][76]～[89] このことは、診断時に正常体重、過体重、肥満のいずれであっても、診断後に体重を増やさないようにし、治療期間を通じて体重の管理が大切であることを指摘しています。また、過体重や肥満の人は、治療から回復した後、意図的に減量をすることが健康を維持する上で有益となる可能性を示しています。[90]

治療後に意図的な減量を行うことで、がんの経過や全生存期間が改善するという仮説を支持する科学的根拠は今のところ限られています。[53] しかし、「女性の栄養介入試験」（Women's Intervention Nutrition Study: WINS）では、低脂肪食を摂取して体重が6ポンド*（初期体重の約4％）減少した閉経後乳がん生存者（特にエストロゲン受容体*（ER）陰性の乳がん患者）では、乳がんの再発リスクが低下する結果でした。[91] けれど

無病生存率
がんの治療終了後の観察期間中に、がんの徴候や症状が現れずに生存した患者の割合。

全生存率
がんの診断または治療から一定期間が経過した後に生存している人の割合。

6ポンド
約2・7kg

エストロゲン受容体（ER）
女性ホルモンのひとつであるエストロゲンを感知する、細胞の仕組み（受容体）。

も、この臨床試験は体重減少の効果を調べることが本来の目的ではありませんでした。そのため、この臨床試験の本来の目的である低脂肪食の摂取による効果だったのか、体重減少による効果だったのか、はっきりと区別がつきません。それでもなお、過体重や肥満のがん生存者が意図的に減量することで、がんの経過を好転させる可能性があり、おそらくは確実であるとみなされています。[92] 現在、米国国立がん研究所（National Cancer Institute）の助成による、「あなたの回復と健康を促進するための運動と栄養に関する研究」（Exercise and Nutrition to Enhance Recovery and Good Health for You: ENERGY）（1R01 CA 148791-01）という先駆的な臨床試験が進められています。この試験は、過体重や肥満の乳がん生存者８００名を対象として、食事と運動による体重管理が実行可能で、生活の質に影響をおよぼすかどうかを調査しています。この研究は同時に、生存率などがんの経過に体重減少が与える影響を検討する、より大規模な臨床試験を実施するための、前段階の研究として行われています。肥満や過体重のがん生存者が、意図的な運動とカロリー制限を行って減量すると、ホルモン環境[93][94]、生活の質、身体機能を改善するという科学的根拠がすでに存在しています[95]。初期治療を行っている間は、日々の生活とバランスをとりながら、新たな食事様式や運動、生活習慣を受け入れて、エネルギーの摂取量を減らして消費量を増やし、減量を試みることは実際には難しいかも知れません[96]。したがって、多くの場合、手術や抗がん剤治療、放射線療法が終了するまで、積極的な減量は延期されます。けれども、過体重や肥満のがん生存者が自ら減量に取り組む意思がある場合は、担当の腫瘍専門医に相談のうえ、治療の支障にならないと認められれば、減量の状況を常に把握しながら、治療期間中に適度な減量[97]（1週間に最大2ポンド*）を行うことも不可能ではありません。診断後の体重減少はがんの経過に悪影響をおよぼすという過去の研究では、意図的ではない減量と、意図的な減量が区別されていませんでした。個々の患者のニーズに合った、低カロリーで高栄養価の食事と、運動量の増加によって、安全に体重を減らすことが重要です[7][28][98]。

　がん治療後の体重の増量や減量は、食事、運動、生活習慣を組み合わ

2ポンド
約900g。

せて行うべきです。具体的には、体重を増やす必要がある人は、エネルギー消費量よりエネルギー摂取量を増やすこと、減量が必要な人は、エネルギー摂取量よりも運動量を増やしてエネルギー消費量を多くすることです。低カロリー食品（例えば、水分や食物繊維が豊富な野菜や果物）を増やし、脂肪や糖分が多い食品や飲料を減らして食事から摂取するエネルギー量を下げると、健康的な体重管理が促進されます[99]。高カロリー食品は、1回あたりの摂取量を減らすことも大切な方法です[99]。また、過体重や肥満の患者では、運動量を増やすことも、体重増加の予防、筋量の維持や回復、減量の促進、減量した状態を維持するために大切です。肥満が重度で、早急な解決を必要とする健康問題である場合は、より包括的な減量プログラムや、薬物療法、手術の対象となります[100]。減量する必要がある人が、理想体重には到達できない場合でも、運動や健康的な食生活で少しでも体重が減れば、有益である可能性があることに留意すべきです。実際、5～10％の減量でも健康上の有益性はとても高いことが示されています[90][99][100]。体重管理に関するこれらの方法についての科学的根拠は、がん生存者そのものを対象とした研究から得られたものではありませんが、これらのアプローチはがん生存者固有の状況にも当てはまると考えられます。

　がんになって以降の生涯全般を通じて、がん生存者は、体格指数（ＢＭＩ）が18・5～25の範囲となる適正体重を目指し維持するよう、積極的に努力するとよいでしょう（表3）。がん生存者の中には、がんと診断された時点で栄養不良や低体重の場合もあれば、積極的ながん治療を受けた結果として栄養不良や低体重になる場合もあります[101]。そのような時にさらに減量すると、生活の質が損なわれ、治療の完了が困難となり、治癒までの期間が長びき、合併症を併発するリスクが増加するおそれがあります。このような状況にある生存者は、食事の摂取と、エネルギー消費に影響する因子について注意深く評価する必要があります[13][58]～[60]。意図的ではない体重減少をきたす可能性がある人には、エネルギー収支をプラスの状態にして体重を増加させるよう、食事の摂取量を増やすことを目指した様々な対応を行います[13][58]～[60]。低体重の生存者にとって運動は、

表3　成人の体格指数（BMI）チャート

BMI 指数＝体重 (kg) ÷ {身長 (m) × 身長 (m)}

BMI	18.5	19	20	21	22	23	24	25	26	27	28	29	30
身長（m）	普通体重（kg）							肥満（kg）					
1.40	36.26	37.24	39.20	41.16	43.12	45.08	47.04	49.00	50.96	52.92	54.88	56.84	58.80
1.41	36.78	37.77	39.76	41.75	43.74	45.73	47.71	49.70	51.69	53.68	55.67	57.65	59.64
1.42	37.30	38.31	40.33	42.34	44.36	46.38	48.39	50.41	52.43	54.44	56.46	58.48	60.49
1.43	37.83	38.85	40.90	42.94	44.99	47.03	49.08	51.12	53.17	55.21	57.26	59.30	61.35
1.44	38.36	39.40	41.47	43.55	45.62	47.69	49.77	51.84	53.91	55.99	58.06	60.13	62.21
1.45	38.90	39.95	42.05	44.15	46.26	48.36	50.46	52.56	54.67	56.77	58.87	60.97	63.08
1.46	39.43	40.50	42.63	44.76	46.90	49.03	51.16	53.29	55.42	57.55	59.68	61.82	63.95
1.47	39.98	41.06	43.22	45.38	47.54	49.70	51.86	54.02	56.18	58.34	60.51	62.67	64.83
1.48	40.52	41.62	43.81	46.00	48.19	50.38	52.57	54.76	56.95	59.14	61.33	63.52	65.71
1.49	41.07	42.18	44.40	46.62	48.84	51.06	53.28	55.50	57.72	59.94	62.16	64.38	66.60
1.50	41.63	42.75	45.00	47.25	49.50	51.75	54.00	56.25	58.50	60.75	63.00	65.25	67.50
1.51	42.18	43.32	45.60	47.88	50.16	52.44	54.72	57.00	59.28	61.56	63.84	66.12	68.40
1.52	42.74	43.90	46.21	48.52	50.83	53.14	55.45	57.76	60.07	62.38	64.69	67.00	69.31
1.53	43.31	44.48	46.82	49.16	51.50	53.84	56.18	58.52	60.86	63.20	65.55	67.89	70.23
1.54	43.87	45.06	47.43	49.80	52.18	54.55	56.92	59.29	61.66	64.03	66.40	68.78	71.15
1.55	44.45	45.65	48.05	50.45	52.86	55.26	57.66	60.06	62.47	64.87	67.27	69.67	72.08
1.56	45.02	46.24	48.67	51.11	53.54	55.97	58.41	60.84	63.27	65.71	68.14	70.57	73.01
1.57	45.60	46.83	49.30	51.76	54.23	56.69	59.16	61.62	64.09	66.55	69.02	71.48	73.95
1.58	46.18	47.43	49.93	52.42	54.92	57.42	59.91	62.41	64.91	67.40	69.90	72.40	74.89
1.59	46.77	48.03	50.56	53.09	55.62	58.15	60.67	63.20	65.73	68.26	70.79	73.31	75.84
1.60	47.36	48.64	51.20	53.76	56.32	58.88	61.44	64.00	66.56	69.12	71.68	74.24	76.80
1.61	47.95	49.25	51.84	54.43	57.03	59.62	62.21	64.80	67.39	69.99	72.58	75.17	77.76
1.62	48.55	49.86	52.49	55.11	57.74	60.36	62.99	65.61	68.23	70.86	73.48	76.11	78.73
1.63	49.15	50.48	53.14	55.79	58.45	61.11	63.77	66.42	69.08	71.74	74.39	77.05	79.71
1.64	49.76	51.10	53.79	56.48	59.17	61.86	64.55	67.24	69.93	72.62	75.31	78.00	80.69
1.65	50.37	51.73	54.45	57.17	59.90	62.62	65.34	68.06	70.79	73.51	76.23	78.95	81.68
1.66	50.98	52.36	55.11	57.87	60.62	63.38	66.13	68.89	71.65	74.40	77.16	79.91	82.67
1.67	51.59	52.99	55.78	58.57	61.36	64.14	66.93	69.72	72.51	75.30	78.09	80.88	83.67
1.68	52.21	53.63	56.45	59.27	62.09	64.92	67.74	70.56	73.38	76.20	79.03	81.85	84.67
1.69	52.84	54.27	57.12	59.98	62.83	65.69	68.55	71.40	74.26	77.11	79.97	82.83	85.68
1.70	53.47	54.91	57.80	60.69	63.58	66.47	69.36	72.25	75.14	78.03	80.92	83.81	86.70
1.71	54.10	55.56	58.48	61.41	64.33	67.25	70.18	73.10	76.03	78.95	81.87	84.80	87.72
1.72	54.73	56.21	59.17	62.13	65.08	68.04	71.00	73.96	76.92	79.88	82.84	85.79	88.75
1.73	55.37	56.87	59.86	62.85	65.84	68.84	71.83	74.82	77.82	80.81	83.80	86.79	89.79
1.74	56.01	57.52	60.55	63.58	66.61	69.63	72.66	75.69	78.72	81.75	84.77	87.80	90.83
1.75	56.66	58.19	61.25	64.31	67.38	70.44	73.50	76.56	79.63	82.69	85.75	88.81	91.88
1.76	57.31	58.85	61.95	65.05	68.15	71.24	74.34	77.44	80.54	83.64	86.73	89.83	92.93
1.77	57.96	59.53	62.66	65.79	68.92	72.06	75.19	78.32	81.46	84.59	87.72	90.85	93.99
1.78	58.62	60.20	63.37	66.54	69.70	72.87	76.04	79.21	82.38	85.55	88.72	91.88	95.05
1.79	59.28	60.88	64.08	67.29	70.49	73.69	76.90	80.10	83.31	86.51	89.71	92.92	96.12
1.80	59.94	61.56	64.80	68.04	71.28	74.52	77.76	81.00	84.24	87.48	90.72	93.96	97.20
1.81	60.61	62.25	65.52	68.80	72.07	75.35	78.63	81.90	85.18	88.45	91.73	95.01	98.28
1.82	61.28	62.94	66.25	69.56	72.87	76.19	79.50	82.81	86.12	89.43	92.75	96.06	99.37
1.83	61.95	63.63	66.98	70.33	73.68	77.02	80.37	83.72	87.07	90.42	93.77	97.12	100.47
1.84	62.63	64.33	67.71	71.10	74.48	77.87	81.25	84.64	88.03	91.41	94.80	98.18	101.57
1.85	63.32	65.03	68.45	71.87	75.30	78.72	82.14	85.56	88.99	92.41	95.83	99.25	102.68
1.86	64.00	65.73	69.19	72.65	76.11	79.57	83.03	86.49	89.95	93.41	96.87	100.33	103.79
1.87	64.69	66.44	69.94	73.43	76.93	80.43	83.93	87.42	90.92	94.42	97.91	101.41	104.91
1.88	65.39	67.15	70.69	74.22	77.76	81.29	84.83	88.36	91.89	95.43	98.96	102.50	106.03
1.89	66.08	67.87	71.44	75.01	78.59	82.16	85.73	89.30	92.87	96.45	100.02	103.59	107.16
1.90	66.79	68.59	72.20	75.81	79.42	83.03	86.64	90.25	93.86	97.47	101.08	104.69	108.30

原文では、身長はフィートとインチ、体重はポンドで表記されている。この翻訳では、身長はメートル、体重はキログラムで表記し改変した。また、原文の表では、BMI が 25 以上 30 未満を「過体重」、30 以上を「肥満」としているが、この表では、日本の基準に従い、BMI が 25 以上を「肥満」としている。

ストレスを軽減し、筋力と除脂肪体重の増加を目的とすれば有用な場合もありますが、過度の運動は体重を増やすことの妨げとなります[102]。

がん生存者の運動

がん生存者のための本ガイドラインが２００６年に改訂されて以来、がんの初期治療を終えた患者を対象として、がん治療後の様々な経過と運動との関連性を検討する研究が著しく増加しました[27][63][76]。今回の改訂版ガイドラインでは、がんの経過についての指標として、がん再発率、がん死亡率、全生存率、健康上の体力、患者が訴える症状、リンパ浮腫、合併症などを取り上げています[28]。

前向きコホート研究により、乳がん、大腸がん、前立腺がん、卵巣がんを含む複数のがん生存者集団で、がん診断後の運動と、がん再発リスクの減少や全生存率の改善が関連することが示されています[62][64][65][103]～[107]。

乳がん生存者では、診断後の運動が乳がん再発リスクと乳がん死亡率の減少に関連しているという結果が、一致して得られています。最近の*メタ分析では、診断後の運動により、乳がん死亡率が34％、*総死亡率が41％、乳がん再発率が24％減少することが示されました[62]。大腸がん生存者では、少なくとも4件のコホート研究が行われ、診断後の運動と、大腸がん再発率、大腸がん死亡率、総死亡率の低下との関連が示され、それぞれ最大50％の改善が認められました[104]〜[107]。現在、標準的治療を受けたステージⅡとⅢの*結腸がん患者を対象として、運動プログラムと健康教育の効果を比較する*第3相ランダム化比較試験が進められています[108]。

複数のがん生存者の集団で、運動が健康上の体力を改善することが示されています。がんそのものの影響と、がん治療の影響で、がん患者はしばしば体力が低下しています。有酸素運動や筋力トレーニングは、心肺能力や筋力、身体組成、バランス感覚の維持という点で有益であることが、一致して示されています[27]。診断後の運動が、患者が訴える様々な症状におよぼす効果を調べるために、多数のランダム化比較試験が行われています。多くの臨床試験で、運動により、生活の質、心理社会的ス

メタ分析

研究方法のひとつ。システマティックレビュー（30ページの注を参照）の一種。個々の論文で報告されている相対リスクを、大規模な研究なら大きな重みを与え、小規模な研究なら小さな重みを与えて、加重平均値を計算し、ひとつの相対リスクの数値に要約して報告する。

総死亡率

がんに限らず、心臓病や脳卒中、その他の病気など、すべての死因を合わせた死亡率のこと。

結腸

小腸と直腸との間にあ

トレス、抑うつ、自己評価が改善することが示されました。例えば、ア*ンドロゲン遮断療法で治療中の前立腺がんの男性患者を対象として行われたランダム化比較試験は、筋力トレーニングと有酸素運動プログラムを行った患者グループでは、除脂肪体重の増加、筋力増強、歩行時間の改善、バランス感覚の改善が認められました[26]。また、乳がん生存者を対象として行われたランダム化比較試験では、中等度の筋力トレーニングや*インパクトトレーニングを行った患者グループでは、骨量と除脂肪筋肉量の改善が認められました[33]。

運動の効果を調べた78件の臨床試験を対象とした最近のメタ分析では、運動により、生活の質に、臨床的に意味のある改善をもたらすという結果が示され、その効果は運動療法を終えた後も継続していました[109]。様々な部位のがん患者３０００人以上が参加した44件の臨床試験を対象とした別のメタ分析によると、運動を行ったがん生存者のグループでは、がんに関連する倦怠感の重症度が有意に低下し、筋力トレーニングの強度が強いほど倦怠感の改善もより大きいという関係がありました[110]。

る、大腸の主要部分。上行・横行・下行・S状結腸からなり、水分を吸収して糞塊を形成する。

第3相
検査データや運動能力などの中間的指標ではなく、再発率や生存率など、病気じたいの経過に関わる項目を指標として行われる臨床試験

アンドロゲン遮断療法
前立腺がんの治療法のひとつ。前立腺がんは、精巣から分泌される男性ホルモンであるアンドロゲンによって増殖するため、精巣を摘出したり、アンドロゲンの分泌を抑える薬を投与

かつては、上肢にリンパ浮腫があるがん生存者が、上肢を動かす筋力トレーニングや激しい有酸素運動を行うことには懸念がありました。しかし現在では、そのような運動は安全であるばかりでなく、実際にはリンパ浮腫の発生頻度を減らし重症度を軽減することが、複数の臨床試験で示されています[29,111,112]。

多くのがん生存者では合併症のリスクが高まりますが、運動量を増やすことでリスクを軽減できる可能性があります[113,114]。心血管疾患や糖尿病に対する運動の効果を調査する研究は、今までのところがん生存者を対象としては実施されていません。けれども、一般集団で確認されている心血管疾患や糖尿病に対する運動の効果は、がん生存者でも同様に得られることが期待できます。

このように、運動はがん生存者に多くの有益な効果をもたらしますが、がん生存者の特定の身体状況によって、運動を行う能力に影響が出る可能性があります。また、治療の影響で、運動によるけがやその他の悪影響を生じる可能性もあるため、がん生存者が運動を行う場合には、特に

したりする。

インパクトトレーニング
負荷の高い運動トレーニング。ランニングや、ジャンプ力が必要となるバスケットボールなど。

以下の点に注意しましょう。

●重度の貧血がある生存者は、日常生活動作以外の運動は、貧血が改善するまで延期しましょう。

●免疫機能が低下している生存者は、白血球数が安全域に回復するまで、公共のジムやプールの利用は避けましょう。骨髄移植を受けた生存者は、通常、移植後1年が経過するまで、そのような公共施設の利用を避けるべきです。

●治療の影響で重度の倦怠感がある生存者は、運動プログラムに取り組む気力が持てない場合、毎日10分程度の軽い運動を行うことが望ましいでしょう。

●放射線療法を受けた生存者は、照射部位の皮膚が塩素に触れることを避けましょう（スイミングプールなど）。

●留置カテーテルや経管栄養チューブを装着している生存者は、感染を引き起こす可能性があるプール、湖、海、その他の細菌感染を引き起こす可能性がある場所は、利用に十分に注意するか、利用を避けましょう。また、カテーテルが留置されている部位を動かす筋力トレーニングは、カテーテル脱着のおそれがあるため、十分に注意して行うか、そのようなトレーニングは避けましょう。

●複数の合併症やコントロール不良の合併症がある生存者は、医師と相談の上、運動プログラムの内容変更を考慮する必要があります。

●末梢神経障害や運動失調が重度の生存者は、脱力やバランス感覚の欠如により、四肢を動かす機能が低下している可能性があります。そのような場合は、例えば、トレッドミル*上の歩行運動よりも、固定されたリクライニング式の自転車運動がより行いやすいと考えられます。

がん生存者は、上記やその他の注意事項を考慮した上で、米国スポーツ医学会（American College of Sports Medicine：ACSM）の専門家委員会が定めた、がん生存者のためのガイドラインに従うことが勧められます。[28] ＡＣＳＭ委員会は、がん生存者が運動不足になることを避け、診断や治療のあとできるだけ早く通常の活動に戻ることを勧めています。有酸素運動については、米国保健福祉省（US Department of Health

トレッドミル

屋内でランニングやウォーキングを行うための健康器具。速さが変化したり坂道になったりするベルトコンベアの上を歩いたり走ったりする。

and Human Services）が２００８年に定めた「米国人のための運動ガイドライン」に従うことを同委員会は勧めています[114]。このガイドラインによると、18～64歳の成人は、中等度の有酸素運動を毎週１５０分以上、または強度の有酸素運動を75分以上行うことが必要です（表4）。中等度と強度の有酸素運動を組み合わせて、同等の運動量にすることも可能です。まったく運動しないより、すこしでも体を動かす方がよく、また、ガイドラインに示されている以上の運動を行うと、それだけ健康上の利益も大きくなる可能性があります。運動は1セッション最低10分間行い、1週間のあいだにまんべんなく行うことが望ましいです。さらに、成人では、主な筋肉をくまなく動かす筋肉強化運動を、1週間のうち2日以上行うべきです。65歳を超える高齢者でも、可能であればこれらのガイドラインに従って運動すべきですが、慢性的な体の状態により、運動量が制限されるようであれば、自分のできる範囲で最大限体を動かすことを心がけ、運動不足が長期に及ぶことは避けるようにしましょう。がんの部位別の指針については別項に後述します。

ラインダンス
ダンスフロアに整列し、全員が一斉に同じステップを踏むダンス。

10マイル/時
時速約16㎞。

表4　中等度および強度の運動例 [118]

中等度の運動（運動しているあいだに会話することはできるが、歌を歌うことはできない）

- 社交ダンス、*ラインダンス
- 平地や、ほとんど傾斜のない場所でのサイクリング
- カヌー
- 一般的な庭仕事（落ち葉集め、低木の刈り取り作業）
- ボールを受けたり投げたりするスポーツ（野球、ソフトボール、バレーボール）
- テニス（ダブルス）
- 手動式の車いすの使用
- 手漕ぎ自転車（エルゴメーターとも呼ばれる）の使用
- 速足での歩行
- 水中でのエアロビクス

強度の運動（立ち止まって息継ぎしないとほとんど話せない）

- エアロビクスダンス
- *10マイル/時超の速度でのサイクリング
- 速いペースでのダンス
- 強労作の庭作業（穴を掘る、くわで耕す）
- 上り坂のハイキング
- 縄跳び
- 武術（空手など）
- 競歩、ジョギング、ランニング
- 多くのランニングを伴うスポーツ（バスケットボール、ホッケー、サッカー）
- 速い速度での水泳、連続遊泳
- テニス（シングル）

運動を取り入れる行動変容をサポートする

現在得られている科学的知見では、がん生存者の中で、初期治療を受けている間に運動をしている人は10％未満で、また、治療から回復した後でも約20～30％程度に留まると考えられます[115,116]。

ですから、患者が運動を取り入れることを積極的にサポートする体制がなければ、多くのがん生存者が定期的な運動から最大限の利益を得ることは困難です。がん生存者が日々の生活の中で身体を動かす習慣を取り入れ継続することを、いかに支援するかについては、様々な検討がなされています[115–117]。成功事例としては、短期間（例えば12週間）は監督者のもとで運動を行うこと、サポートグループ、電話でのカウンセリング、動機づけのための聞き取り、がん生存者のために用意された印刷物を利用することなどがあります。がんのケアを行う専門家が認識しておくべき重要なポイントは、運動を行うことの動機づけや、運動を行う上で障害となっていること、運動の好みは、がん生存者それぞれに固有であるということです。中等度および強度の運動例を表4に示します。[118]

食生活と食物の選択

最近の複数の論文で要約されている通り、観察研究*の結果によると、食生活や食物の選択が、がんの進行や再発リスク、全生存率に影響することが指摘されています。[3][7][98][119] これらの研究の多くは乳がん生存者を対象としていますが、最近の10年間では、大腸がんや前立腺がんの生存者を対象とした研究も増えてきています。これら研究の多くは、個々の栄養素、食物中の生理活性物質や、特定の食物の効果に着目してきました。しかし、これらの食品成分の効果を、がん発症のリスクや病気の進行に影響を及ぼしうる生活習慣（運動や肥満など）の影響から区別して評価することは、とても難しいことが分かっています。

さらに、人が食べるものは栄養素ではなく、食物であり、また、特定

観察研究

研究方法のひとつ。研究者が対象者に意図的に食事指導やサプリメントの投与を行う研究を「介入研究」という（ランダム化比較試験など）。これに対し、対象者の日常的な生活習慣を調べ（観察し）、病気との関係を調べる研究を「観察研究」という（前向きコホート研究など）。

の食物でさえも、がんの進行に影響を及ぼしうる特色や生理活性成分により特徴付けられる一定のパターンとして摂取されるのが普通です。ある特定の食物だけに注目するのではなく、パターンとしての食生活と、生存率との関係を評価することも参考となるでしょう。例えば、乳がんと診断されて治療を受けた女性の研究では、果物と野菜、全粒穀物、鶏肉、魚類を多く含む食生活パターンがある人は、精製穀物*、加工肉*、赤肉*（red meat)、デザート、高脂肪乳製品、フライドポテトを多く摂取する食生活パターンがある人と比べて、死亡率が低いことが分かりました[120]。同様に、乳がん生存者を対象に行われた別の研究では、野菜や全粒穀物を多く摂取する食生活パターンは、総死亡率の43％の低下と関連していました[121]。1日に5盛り*（serving）以上の野菜や果物を食べると共に、1週間に6日、1日30分のウォーキングと同程度の運動をしている乳がん生存者は、生存率が高いという研究もあります。ただし、よい食生活と運動のいずれか一方のみを行っている生存者では、有意*な生存率の上昇はありませんでした[122]。1000人を超える大腸がん生存者を対象とした観

精製穀物
糠や胚芽を取り除いた穀物。白米や白パンなど。

加工肉
ベーコン、ハム、ソーセージなど。

赤肉
牛肉、豚肉、羊肉など。鶏肉は含まない。

盛り
1盛りに相当する野菜と果物の例として、2分の1カップの調理した野菜、2分の1カップの細切れの果物、4分の1カップのドライフルーツ、1個の新鮮な果物（中等大のリンゴ、バナナ、オレンジ1個な

察研究では、赤肉、加工肉、精製穀物、糖分の多いデザートを多く含む食事を摂取した人は、統計学的に有意ながんの再発の増加と、全生存率の低下との関連がみられました[123]。

食事の組成（たんぱく質、炭水化物、脂肪）

たんぱく質、炭水化物、脂肪は、すべて食事のエネルギー成分であり、様々な食物に含まれています。がん生存者は、心臓病などがん以外の慢性疾患を発症する危険性も高いので、心血管疾患の発症リスクを減らすためにも、脂肪、たんぱく質、炭水化物の推奨摂取量や、どのような種類のものを摂取すると良いかを知ることは、がん生存者（とくに標準体重以上の人）にとって大切です[46][47][49][52]。

　米国医学院（Institute of Medicine）と現行の連邦政府ガイドライン、および米国心臓協会（American Heart Association: AHA）は、成人集団に対する食事組成の割合を以下の範囲で推奨しています。脂

ど）、1カップの緑の葉の生野菜。1カップの目安は２５０ ml。

有意

データの誤差では説明できないような結果（効果や害）が観察されること。

肪：総エネルギー（カロリー）に占める割合が20～35％（ＡＨＡ：25～35％）、炭水化物：総エネルギーに占める割合が45～65％（ＡＨＡ：50～60％）、たんぱく質：総エネルギーに占める割合が10～35％（最低0・8g／kg）[46,49,124]。

乳がん診断後の脂肪摂取と生存率の関係を調査するため、数件の観察研究が行われましたが、その結果は不一致でした。一部の研究では、脂肪摂取量が多いとがんの再発が増え、生存率が低いという結果でしたが、脂肪以外のたんぱく質や炭水化物を含む総エネルギー摂取量の影響を考慮に入れて分析すると、こうした関連性はみられなくなることが一般的でした[98,125,126]。他の観察研究では、乳がん診断後の脂肪摂取と死亡率の間には、Ｕ字型の関係があることが示されました[127]。つまり、脂肪摂取量が過剰に少ない場合や多い場合に、死亡率が高くなる可能性をうかがわせる結果でした。

早期乳がんの診断後に脂肪摂取量を減らすと、がんの経過にどのような影響を与えるかを調べるため、２件のランダム化比較試験が行われました。ＷＩＮＳという試験では、閉経後の早期乳がん女性２４３７人を対象として、低脂肪食（総エネルギー摂取量に占める脂肪の割合が15%未満となることを目指す）の効果を検討した結果、再発率が低くなることが、統計学的にも誤差範囲を超える水準近くで示されました。[91] 低脂肪食を摂取した女性のグループでは、1年目の時点で、総エネルギー摂取量に占める脂質の割合が平均して20%にまで低下し、乳がんの再発が24%低下していました。また、対象者をグループ分けした分析では、エストロゲン受容体が陰性の乳がん女性で、この効果が高い傾向にありました。しかし、先に述べたとおり、低脂肪食を摂取した女性のグループでは、試験期間中に体重が平均して6ポンド低下しており、乳がん再発率の低下が、低脂肪食の効果なのか、体重減少の効果なのか、はっきり区別できない点に注意する必要があります。

「女性の健康的な食事と生活のランダム化試験（ＷＨＥＬ）」*は、閉経前と閉経後乳がん生存者３０８８人を対象として、低脂肪（総エネルギー摂取量に占める脂質の割合が約20%）で、野菜・果物・食物繊維が

女性の健康的な食事と生活のランダム化試験
The Women's Healthy Eating and Living (WHEL) Study

非常に多い食事が、がんの経過におよぼす効果を調べた試験で、その追跡期間は平均7・3年でした[122]。4年目には、食事療法群の脂肪摂取量が低下したと報告されましたが（総エネルギー摂取量に占める脂質の割合は、試験参加時の31・3％から26・9％に低下）、食事療法を行ったグループと、行わなかったグループの間に、無再発生存率の差はありませんでした[122]。注目すべきは、WHEL試験で食事療法を行ったグループでは体重減少が認められなかったことで、この点は、WINS試験で低脂肪食を摂取した女性のグループから得られた結果と異なっています。WHEL試験では、試験参加時にホットフラッシュ*がなかった女性、つまりエストロゲンの血中濃度が高かった可能性が高い人では、食事療法でがんの経過に改善がみられ[128]、このような女性では生存率が改善する可能性がうかがわれます。

　前立腺がん診断後の食事と生存の経過を追跡した、若干数の観察研究も報告されています。1件の研究では、飽和脂肪酸*の摂取量が多いと前立腺がん死亡率が高く、他の研究では、一価不飽和脂肪酸*の摂取量が多

ホットフラッシュ
血液中のエストロゲンが少なくなることで体温調節がうまくできなくなり、顔のほてりやのぼせが起こること。

飽和脂肪酸
脂肪酸の基本構造は炭素鎖がカルボキシル基とメチル基をつなぐものであり、この炭素鎖の種類によって脂肪酸の性質が異なる。飽和脂肪酸とは炭素と炭素の結合中に二重結合が存在しないものをいう。二重結合が存在するものは不飽和脂肪酸という。

一価不飽和脂肪酸
脂肪酸の炭素‐炭素結合

いと生存率が高いという結果でした。[129][130] 前立腺がんの男性は心血管疾患による死亡リスクも高いので、飽和脂肪酸が少なく不飽和脂肪酸が多い、心臓に健康的な食事は、がんの予防だけでなく、心血管疾患による死亡の予防にも有用と言えます。

一部の研究は、*オメガ-３系脂肪酸が、悪液質の緩和や生活の質の改善など、がん生存者に固有の効果がある可能性を指摘しており、さらに、特定の治療法の効果を高める可能性も指摘しています。[131][132] しかし、これらの結果は完全に一致しているわけではなく、さらに研究が必要です。[133] いずれにせよ、オメガ-３系脂肪酸に富む食物（魚類やクルミなど）は、心血管疾患の発症リスクや、総死亡率を下げる可能性があるため、食事に取り入れるとよいでしょう。[46][49]

十分な量のたんぱく質を摂取することは、がんの治療期、回復期、長期生存期、進行がんと共に生きる時期のすべてを通じて必須です。必要量のたんぱく質を摂取するための最良の方法は、飽和脂肪酸の含有量が少ない食物（魚類、脂肪分の少ない肉、皮を取り除いた鶏肉、卵、無脂

中に、二重結合が一つ存在しているもの。オレイン酸など。

オメガ-３系脂肪酸
不飽和脂肪酸の一種。炭素-炭素結合中の二重結合が、メチル基側から3番目の炭素にある。ＥＰＡ（エイコサペンタエン酸）など。

肪か低脂肪の乳製品、種実類、豆類）を選ぶことです。

ヴェジタリアン食は、どのような食物を選択するかにより、健康的な場合もあり、非健康的な場合もあります。ヴェジタリアン食の種類は、乳製品、魚類、卵を含むか否かという点で異なりますが、赤肉を避けるという点は共通しています。魚類や乳製品は、量、質ともに適切なたんぱく質を含んでおり、このような食物を含むヴェジタリアン食は、バランスのとれた食事の栄養組成に似ています。動物由来の食物や製品をすべて排除するヴィーガンの食事では、種実類、豆類、穀物製品を十分に摂取すれば、必要なたんぱく質量を確保することができますが、ビタミンB_{12}については、必要摂取量を満たすためにサプリメントが必要です。米国では、ビタミンDは主にビタミンDを添加した乳製品から摂取されているため、太陽や紫外線を浴びるのが不十分な場合は、ヴィーガンの食事にビタミンDのサプリメントも追加する必要があります。野菜、果物、全粒穀物を多く含み、赤肉が少ない一般的な食事よりも、ヴェジタリアン食の方が、がんの再発予防という点でさらに効果が大きいことを示した直接的な科学的根拠は存在しません。

野菜、果物、全粒穀物、種実類のように、健康的に炭水化物を摂取できる食物には、必須栄養素やフィトケミカル*、食物繊維が多く含まれています。これらの食物を通して、炭水化物の大半をカバーすることが大切です。全粒穀物は、食物繊維に加え、ホルモン効果や抗酸化作用など、重要な生物活性をもつ様々な化合物を豊富に含んでいます。例えば、全粒穀物は、フェノール酸、フラボノイド、トコフェロールなどの抗酸化物質、リグナン*など弱いホルモン効果を持つ物質、フィトステロールや不飽和脂肪酸など脂質代謝に影響を与える物質を含んでいます。これらの物質とその生物活性は、がんの発症や進行のリスクを下げ、心血管疾患のリスクを下げるという仮説があります(134)。食物繊維の供給源としては、食物繊維サプリメントに頼るのではなく、全粒穀物や全粒穀物製品を選択することが、食事の栄養的価値を高めることになります。

精製穀物は、精製の過程でふすまや胚芽などが取り除かれています。そのため、精製していない全粒穀物と比べると、ビタミン、ミネラル、

フィトケミカル
第４章Ｑ15（130ページ）を参照

リグナン
植物に含まれるポリフェノールの一種。特に胡麻や亜麻に多く含まれる。エストロゲン様の作用や抗酸化作用を持つ。

食物繊維の量が減っています。精製穀物には、薄力粉、胚芽を取り除いたコーンミール、精白パン、白米などがあります。米国では、精製穀物製品のほとんどに、チアミン*、リボフラビン*、ナイアシン*、鉄、葉酸などの微量栄養素が再添加されています。ですから、精製穀物製品にはまったく栄養価がないというわけではありませんが、食物繊維や生物活性を示すフィトケミカルなど、有益と考えられる成分の多くは再添加されていません。

　糖分を多く摂取することによる発がんリスクの上昇や、がんの進行を早めることは示されていません。しかし、糖分（ハチミツ、粗糖、ブラウンシュガー、高果糖コーンシロップ、糖蜜を含む）や、これらの糖分の主な供給源となる飲料（ソフトドリンクや、様々なフルーツ味の飲料）を摂取すると、食事のカロリー量が大きく増えてしまうため、体重増加を促進する可能性があります。さらに、加糖された食物の多くは、様々な栄養素の供給源とはなりえず、多くの場合、より栄養価の高い食事の代わりに摂取されることになります。したがって、加糖食品の摂取は制

チアミン

　ビタミンB_1。炭水化物、脂肪、アミノ酸、ブドウ糖、およびアルコールの代謝に関わっており、不足すると脚気や神経炎などを生じる。卵、乳、豆類に多く含まれる。

リボフラビン

　ビタミンB_2。脂肪、炭水化物、たんぱく質の代謝や、赤血球や抗体の生産に必要。甲状腺、皮膚、爪、頭髪をはじめ体全体の正常な健康状態の維持に不可欠で、不足すると口内炎や舌炎、皮膚炎などを生じる。肉類、卵、牛乳、チーズ、ヨーグルト、葉菜類、全粒穀物などに多く含まれる。

限することが推奨されます。

野菜と果物には、必須ビタミンやミネラル、生物活性が高いフィトケミカル、食物繊維など、がんの進行を防ぐ可能性がある様々な食品成分が含まれています。さらに、野菜と果物は、低カロリーであるにもかかわらず満腹感を与える食物なので、健康的な体重管理に役立つでしょう。[135]（ジュースではなく）まるごとの果物を摂取すると、より多くの食物繊維を摂取でき、食事のカロリーを抑えることもできます。フルーツジュースを飲むときは、１００％フルーツジュースがもっとも良いでしょう。

上記のように、より最近の研究結果から、野菜や果物が豊富な食生活パターンは、がんの診断と治療後の全生存率の上昇と関連することがうかがわれます。[120]この食生活パターンは、野菜と果物が豊富であることに加え、赤肉や加工肉よりも魚類や鶏肉を、高脂肪より低脂肪の乳製品を、精製穀物よりも全粒穀物を、脂肪源としてはナッツ類やオリーブオイルをより多く含むという特徴もあります。結腸がん生存者を対象とした１

ナイアシン

ビタミンB_3。糖質、脂質、たんぱく質の代謝に不可欠で、不足すると皮膚炎、下痢、神経障害などが現れる。カツオ、サバ、ブリ、イワシ、鶏ささみ、マグロ、豆類などに多く含まれる。

件の研究では、肉類や糖分が多いことが特徴の西洋風の食事は、がん死亡率の上昇と関連していただけでなく、全生存率の低下とも関連していました。[123]

　野菜と果物（またはこれらの食物に含まれる代表的栄養素）の摂取と、乳がん再発リスクとの関係を調べた観察研究では、一致した結果が示されていません。[136] ＷＨＥＬ試験では、試験参加時点で野菜と果物の平均摂取量が多い（１日平均７・３盛り）早期乳がん生存者を対象として、野菜、果物、食物繊維を非常に多く含む食事が、がん再発リスクと全生存期間におよぼす影響を調べました。６年目時点での野菜と果物の摂取量は、食事療法群では１日平均９・２盛り、食事療法を行わなかった比較群では１日平均６・２盛りでしたが、２つのグループを比較すると、無再発生存率に差はありませんでした。[122] しかし、試験開始時の血清エストロゲン濃度が高値だと、食事療法の有無にかかわらず、がんの経過不良と関係していました。試験参加時にホットフラッシュがなかった（エストロゲン濃度が高値であることの指標）女性のグループでは、食事療法の再発予防効果が認められました。[128] これらの結果は、野菜、果物、食物繊維を多く含む食事が、がんの経過に好影響を与えるかを左右する要因として、生殖ホルモンの状況が関係する可能性を示しています。さらにこの臨床試験では、カロテノイドの長期的な摂取が、食事療法の有無にかかわらず、乳がんの無病生存率の高さと関係していました。[137] したがって、がんと診断される前の食生活や、長期にわたる食生活は、がんと診断された後の短期の食生活の変化よりも重要である可能性があります。

食事と卵巣がん患者の生存の関係を調べた研究[138]では、がんの診断前に野菜を多く摂取していたこと（特に黄色野菜やアブラナ科の野菜）と、生存期間の長さが関係していました。[139][140] 前立腺がんの進行リスクと、がん診断後の食事の関係を検討した1件の観察研究では、トマトソースをより多く摂取していた人の生存期間が長いという結果でした。[141] 様々な種類の野菜や果物を摂取することから得られる利益は、これらの食物に含まれる食品成分を単独で摂取することで得られる健康増進効果よりも、おそらく大きいと考えられます。なぜならば、食物として摂取することで、食物全体に含まれている様々なビタミン、ミネラル、その他のフィトケミカルが相乗効果を発揮するからです。成人に対する現行の公衆衛生勧告では、1日最低2～3カップの野菜と1・5～2カップの果物を摂取するよう推奨しています。濃い緑色やオレンジ色などカラフルな野菜は、様々な栄養素や、健康に寄与するフィトケミカルの良い供給源です。野菜や果物は、新鮮なもの、冷凍、缶詰、生、調理したもの、乾燥させたもの、いずれの状態でも、栄養素やその他の生物活性成分が含まれています。野菜や果物を加熱すること、とくに多量の水でゆがくよりも、電子レンジで加熱したり蒸したりすることで、水溶性の栄養素の生体利用率を保持し、栄養素の吸収を良くすることができます。たとえばカロテノイドは、生の状態の野菜より、加熱した野菜からの方がより吸収されやすくなります。有機農法で育てられた野菜や果物の方が、それ以外のものと比べて、がんを予防する可能性がある成分を多く含むことを示す科学的根拠はありません。

サプリメント（栄養素補給剤）

１９９４年に施行された米国栄養補助食品健康教育法（Dietary Supplement Health and Education Act：DSHEA）によると、サプリメントとは、ビタミン、ミネラル、ハーブや植物由来成分、アミノ酸、濃縮液、代謝物、成分抽出物、あるいはこれらを組み合わせたものを指します。米国成人の52％がサプリメントを使用しており、[142]がん生存者では、報告により異なりますが、64～81％がサプリメントを使用していると報告されています。[98][143]最近の論文のまとめでは、がん生存者の14～32％が、診断後にサプリメントの使用を開始することが示されています。[143]がん生存者の中でサプリメントを使用している人の割合は、乳がん生存者でもっとも高く、前立腺がん生存者でもっとも低いと報告されています。[143]がん生存者は、医療職や他の人からの助言、症状を治すため、気分を良くするため、栄養素を適切に摂取する手段としてなど、様々な理由でサ

プリメントを使用します。[144][145]

観察研究と臨床試験の双方から得られた科学的根拠によると、サプリメントを摂取することにより、がんと診断された後の経過や全生存率が改善する可能性は低く、むしろ実際には、死亡率を高める可能性があります。２００６年のメタ分析では、がん患者が抗酸化物質やビタミンAのサプリメントを使うことと、総死亡率のあいだには、関連はありませんでした。[146] しかし、この研究を実施した著者は、対象となった臨床試験の数、とくに質の高い臨床試験の数が限られていたと指摘しています。ワシントン州の住民７万７７１９人を10年間追跡したコホート研究では、マルチビタミン、ビタミンE、ビタミンCのサプリメントいずれかを使用することで、がん死亡を予防できるか検討されましたが、そのような効果は認められませんでした。[147] ２件の大規模な観察研究では、早期乳がんと診断された女性を対象として、複数の栄養素のサプリメントやマルチビタミン剤の使用と、乳がん再発率、乳がん死亡率、総死亡率との関係が調査されましたが、そのような関連性は認められませんでした[148][149]。大腸がん生存者を対象としたマルチビタミン剤の研究でも、同様の結果が報告されています[150]。加えて、１件の臨床試験は、大腸がん生存者のうち喫煙者、飲酒者、あるいはその両方が該当する人では、ベータカロテン*のサプリメントを使用すると、大腸腺腫*の再発率が上昇する可能性を示しています[151]。放射線治療を受けた５４０人の頭頸部がん患者を対象として、ビタミンEを１日４００IU*投与したグループと、プラセボ*を投与したグループを比較したランダム化比較試験では、ビタミンEを投与したグループでは、頭頸部がんと総死亡率が有意に上昇していました[152]。また、最近実施された「セレニウムとビタミンEによるがん予防試験*」（Selenium and Vitamin E Cancer Prevention Trial：SELECT）では、セレニウムまたはビタミンEを投与した男性のグループでは、糖尿病と前立腺がんの発生率が上昇していました[153]。乳がん生存者ではビタミンDが不足している人の割合が高く[154]、乳がん生存者にはビタミンDの補給が必要なことをうかがわせる観察研究も一部あります。ビタミンDを補給すれば、ビタミンDの栄養学的必要量を満たす助けにはなるかも

ベータカロテン
植物に豊富に存在する赤橙色色素のひとつ。ビタミンAの前駆体。喫煙者にベータカロテンのサプリメントを投与したランダム化比較試験では、肺がんの発生率がかえって上昇した。

大腸腺腫
大腸の粘膜上皮を形成する腺細胞が異常をきたして増殖したもの。大きな腺腫はがんになる手前の状態（前がん状態）と言われている。

４００IU
２６７㎎。IUは国際単位。

知れませんが、ビタミンDの血中濃度が乳がんの再発リスクに影響を与えることは示されていません。[155] 大腸がん生存者を対象とした2件の観察研究では、診断前または診断後のビタミンDの血中濃度の高さと、全生存率や大腸がん死亡率の有意な改善との関係が示されています。[156,157] けれども、最近の研究をまとめた論文は、ビタミンDのサプリメントにより、がん患者の経過が改善されることは証明されていないと指摘しています。[158] これらの結果が示していることは、サプリメントを使用する前に、まず、栄養状態が本当に不十分であるかどうかを評価することの重要性です。栄養素が本当に欠乏している人にとっては、サプリメントを使用することで一定の利益が得られる可能性があります。しかし、栄養状態が良好な人がさらにサプリメントを摂取しても、利益がないどころか危険を招く可能性があります。

以前は、がんの治療中や治療後に必要な栄養素を十分に摂取するためのいわば「保険」として、複数のビタミンとミネラルを含む標準的なサプリメントを使用することが推奨されていました。けれども、健康な人

プラセボ
偽薬。薬理学的にまったく効果のない不活性物質で、医薬品やサプリメントの治療効果を評価するための対照薬。

セレニウム
ミネラルの一種。

から得られた最近のデータによると、マルチビタミンサプリメントの使用により、実際には死亡リスクが増加する危険性があり、少なくとも有用性がない可能性を示すデータが多く報告されているため、この推奨は現在再検討されています[150][159]~[162]。がん生存者がサプリメントを使用することについて、以下に示す一般的な指針をよく考慮することを現在の科学的根拠は示していません。

- ●サプリメントを処方または服用する前に、必要な栄養素はできる限り食物から摂取するよう努めましょう。
- ●サプリメントの使用は、栄養欠乏状態が生化学的（ビタミンD血中濃度の低下やビタミンB_{12}の欠乏など）、あるいは臨床的（骨密度の低下など）に確認されている場合に限って考慮しましょう。
- ●サプリメントの使用は、ある栄養素の必要量の３分の２未満の状態が続く場合に考慮しましょう。栄養素の多量摂取、とくにサプリメントのような食物以外の供給源からの摂取が、有用ではなくむしろ有害となる可能性があることを指摘するデータが得られている最近の状況を踏まえると、栄養素の摂取量が十分かどうかについての判断は、食事からの栄養摂取をもっとも適切に評価することができる管理栄養士が行うべきです。

サプリメントを使用するかどうかについては、実施中のがん治療に有害とならず、より長期の健康にも影響を与えないことを確認するためにも、患者と医療職が十分に話し合って決める必要があります[163][164]。医療職は、サプリメントの使用について、患者が十分に判断できるよう時間を割くだけではなく、この分野の最新の研究状況、特にサプリメントと薬の相互作用について最新の情報把握に努めることが大切です。栄養素は、できる限り食物から摂取するよう、がん生存者にアドバイスすることが最も賢明でしょう。

アルコール

飲酒には、健康に良い面と悪い面の双方があることは、多くの科学的根拠によって示されています。[47][165]〜[167] 女性の場合1日1ドリンク*、男性では1日2ドリンクまでであれば、心疾患リスクを低下させますが、それより多量に摂取しても有益な効果は得られず、アルコール依存になるリスクを高めるだけでなく、一部のがんの発症リスクも高める可能性があります。[168] そのため医療職は、飲酒について、がん生存者に個別に適切な助言を与えることが大切です。その際、がんの種類や病期、治療、治療の副作用、再発や新しい原発がん発症のリスク因子、合併症を考慮する必要があります。多くの医療職は、抗がん剤治療や生物学的治療を受けているがん生存者には、治療中の飲酒を控えるよう指導します。頭部、頸部、胸部に放射線療法を受けている人にも、飲酒を控えるよう助言する場合が多いです。例えば、積極的ながん治療の期間中は、口内洗浄液に含まれている程度の微量のアルコールでも、口腔粘膜炎を起こしている生存者には刺激となり、症状を悪化させることがあります。したがって、粘膜炎を起こしているがん生存者や、粘膜炎を誘発する危険性のある、頭頸部がんの放射線療法や抗がん剤治療を受ける生存者に対しては、飲酒

1ドリンク

1ドリンクの飲酒は、5オンス（約150ml、アルコール約15g）のワイン、12オンス（約360ml、アルコール約14・4g）のビール、1オンス（約30ml、アルコール約10g）の蒸留酒に相当。日本酒1合に含まれるアルコールは約22g。

を控えるか制限するよう助言することが賢明です。がん生存者の中で、飲酒者の割合は一般集団とほぼ同じですが、一部のがん生存者グループ（前立腺がんや頭頸部がんの生存者など）では、飲酒者の割合が高くなっています[169]。

飲酒と一部の原発がんの発症リスクとの関係はすでに確立した知見であり、口腔がん、咽頭がん、喉頭がん、食道がん、肝臓がん、乳がん、結腸がん（特定のアルコール飲料）が該当します[47,165,170]。すでにがんの診断を受けた人が、飲酒により、同じ部位に新たな原発がんを生じるリスクが高くなる可能性もあります[171]。さらに、頭頸部がん患者が飲酒（および喫煙）を継続すると、生存率が低下することが古くから文献で示されており[168,172]、頭頸部がん患者が飲酒を制限することを支持しています。乳がんでは、診断後の飲酒が乳がんの経過におよぼす影響は、まだ明らかではありません。しかし、飲酒量が増えるほど、原発性乳がんの発症リスクが上昇することについては確固とした科学的根拠があります[52]。飲酒すると、エストロゲンの血中濃度が高まるため、理論的には乳がん再発のリスクを高める可能性があります。飲酒が乳がん生存者の経過におよぼす影響を調べた研究が、今日までに若干行われてきました。しかしその結果は不一致で、一部の研究では、[173]〜[175] 飲酒により乳がん患者の全生存率と新たに卵巣がんを発症するリスクの予防効果が示されましたが、[176][177]他の研究では、*対側乳がんのリスク、乳がん死亡率、総死亡率を上昇させる結果が得られました。

対側乳がん
一方の乳房（例えば右の乳房）に生じた乳がんの反対側の乳房（例えば左の乳房）に生じた乳がん。

食品衛生

食品衛生は、がん生存者にとって特別の関心事であり、特に、治療により免疫抑制がある場合にはとりわけ心配なことです。[178] 治療により白血球減少症や好中球減少症になると、感染症を生じやすくなります。免疫抑制になるおそれがあるがん治療を行う間、がん生存者は感染を予防するため細心の注意をはらい、特に、安全基準以上の病原微生物を含む可能性がある食物を避けるよう、特別の注意を払うことが必要です。がん

表5　食品衛生に対する一般的指針

- 食事の前に、石鹸と水で手をよく洗いましょう。
- 調理の前に手を洗い、果物や野菜をよく洗うなど、調理全般の清潔を保ちましょう。
- 生の肉類、魚介類、卵類の取り扱いにはとくに注意しましょう。
- なま物が触れた全ての台所用品、調理台、まな板、スポンジを十分清潔にしましょう。生肉と調理済みの食品を離しておきましょう。
- 適切な温度で調理しましょう。肉類や魚介類は十分に加熱調理しましょう。（牛乳やジュースなどの）飲み物は低温殺菌されたものを選びましょう。
- 食べる前に、料理用温度計を使って肉の内部の温度をチェックしましょう。細菌の増殖を最小限にするために、食物をすばやく低温保存しましょう（4℃未満）
- 外食する時は、細菌で汚染されている可能性のあるサラダバー、すし、生肉、調理不十分な肉類、魚貝類、卵類を避けましょう。
- 生のハチミツ、牛乳、低温殺菌していないフルーツジュースは避け、低温殺菌したものを選びましょう。
- （井戸水など）飲み水の安全性に疑問や心配がある場合、地元の保健当局に連絡すれば、細菌汚染の程度を検査してもらうことが可能です。

生存者やその介護者は、安全な食事を心がけることで、食物が原因となる病気にかかる危険性を軽減することができます。表５に示す食品衛生に関する一般的指針に従いましょう。

第３章

がん部位別の栄養と運動の問題

乳がん

望ましい体重を達成し維持することは、乳がんと診断された女性の生活の中で、もっとも大切なことと言えるでしょう。この数十年来に行われた多くの研究で、乳がんと診断された時に過体重や肥満だった人ほど経過が悪いことが示されています。また、これらの研究では過体重や肥満が、リンパ節転移、対側乳がん、再発、合併症、乳がん死亡、乳がん以外の原因による死亡、リンパ浮腫の発生などと関係することが示されています。[8][54][87][179]～[186] このように、肥満は乳がん患者の経過に悪い影響をおよぼすことがはっきりと分かった要因であることや、乳がんと診断された女性の多くが診断時に過体重であることから、乳がん患者が適切に体重を管理することはとても大切です。また、乳がんの診断後に体重が増える患者が多いという事実も、問題を深刻にしています。[187]～[189] 米国の看護師*健康研究（Nurses' Health Study）で喫煙していない乳がん患者を分析したところ、乳がん診断後の体格指数（ＢＭＩ）の増加が０・５未満であった患者と比べて、ＢＭＩが０・５～２まで増加した患者の乳がん再発率は40％高く、２を超えて増加した患者では53％も高いことが分かりました。[86] この研究では、乳がん診断後に体重が減った患者では、有意な経過の悪化はありませんでした。半面、体重増加と乳がんの経過との間に、明らかな関連性はないと指摘する最近の研究もあります。[190] 意図的ではない体重減少は、がん再発の兆候かも知れないので、注意して様子をみる必要があります。[191] 意図的な減量と、病気による体重減少や原因不明

看護師健康研究
(Nurses' Health Study)
米国約24万人の看護婦の食事などの生活習慣と、病気の発生を長期にわたり追跡している研究。食事と健康についての代表的な前向きコホート研究のひとつ。

の体重減少とは、大きな違いがあります。過体重や肥満は、乳がんの経過だけでなく、健康全体や生活の質にもマイナスの影響を与えるという研究が多数報告されていることから、過体重の早期乳がん患者に対する今日の標準的治療の中で、体重管理は優先順位が高く位置づけられています。[8][192] 過去10年来の研究[193]〜[196]や最近の研究でも、*補助化学療法や*ホルモン療法を受けた乳がん患者の体重増加は、脂肪量の増加によるものであり、除脂肪体重は変化がないか減少することが報告されています。[82][189][197][198] このように、身体組成の中で脂肪の割合が多くなるという悪影響を考えると、乳がん治療中の体重管理の目的は、治療中に増えた体重を減らすことだけでなく、筋肉量を維持し増やすことにもあると言えます。治療中や治療後に中等度の運動（特に筋力トレーニング）を行うことは、除脂肪体重を維持し、余計な体脂肪の増加を防ぐ助けになるでしょう。[188][199] また、たとえ標準体重を達成できなくても、6〜12か月かけて体重を5〜10％減量すれば、慢性疾患に関係する血中脂質や空腹時インスリン量などを減らすには十分であることが、健康な一般集団ではっきりと分かっていま

補助化学療法
手術や放射線などの局所的治療の後も、がん細胞が残っている可能性がある。このがん細胞の発育を抑え、転移による再発を防ぐために行う抗がん剤（化学療法剤）による治療のこと。

ホルモン療法
抗エストロゲン剤（タモキシフェンなど）、アロマターゼ阻害剤などのホルモン療法剤による治療。

す。[90] さらに、最近の論文のまとめによると、減量によって、乳がんと関係する生体指標*（エストロゲン、性ホルモン結合グロブリン*、炎症マーカー*など）が好転することも示されています。[200]

乳がん生存者の運動に関する研究は数多くあり、複数のまとめの論文が運動の役割に着目しています。[62][201] 14件のランダム化比較試験に参加した７１７人の乳がん生存者を対象としたメタ分析によると、運動することによって、生活の質、体の機能、最大酸素消費量*、倦怠感が改善することが、統計学的にも明らかであることが分かりました。[201] また、１万２０００人以上の乳がん生存者を追跡した6件の前向きコホート研究に関するもう一つのメタ分析では、診断後の運動により、乳がんの再発率、乳がん死亡率、総死亡率がそれぞれ24％、34％、41％低下することが示されました。このように有望な結果が得られていますが、乳がんの女性が運動することによって、がんの再発予防や、生存期間の改善などの効果が得られるかどうかをさらに明らかにするためには、ランダム化比較試験を行う必要があります。[62]

生体指標
血液などに含まれる生体由来の物質で、生体内の変化を理解する指標となる物質のこと。バイオマーカーともいう。例えば、ベータカロテンの血中濃度は、ベータカロテンが豊富な緑黄色野菜の摂取量を推定する生体指標となる。

性ホルモン結合グロブリン
テストステロン、エストラジオールに結合する糖たんぱく質のこと。乳がんとの関連性が指摘されている。

炎症マーカー
炎症の程度を示す物質の

*センチネルリンパ節切除の実施は増えてきているものの、リンパ浮腫は、依然として乳がん生存者で懸念されることです。けれども、リンパ浮腫が生じるリスクが高い生存者であっても、有酸素運動や筋力トレーニングは安全で、リンパ浮腫の発症を減らし、すでにリンパ浮腫を発症している生存者でも、その症状や重症度の改善が期待できることが分かってきています[11][12]。訓練を受けた運動療法士のもとで、徐々に抵抗強度を増しながら筋力トレーニングを行うことや、*圧迫帯を適切に使用することが勧められます。さらに、肥満はリンパ浮腫のリスク因子であることから、過体重や肥満の生存者には減量が勧められます。

食生活の様々な要素が、がんの経過や全般的な健康状態にどのような影響をあたえるかを調査するため、現在研究が行われています。1件の観察研究では、食生活が乳がん生存者の*全生存期間に重要な意味を持つことが示されています。具体的には、西洋風の食事の人ほど全生存期間が短く、果物、野菜、全粒穀物を多く含んだ食生活の人の方が、全生存期間が長いという結果でした。けれども、全生存期間ではなく、乳がん

こと。血清アミロイドA（SAA）やC反応性たんぱく質（CRP）など。

最大酸素消費量
呼吸によって体内に取り入れた酸素のうち、運動エネルギー獲得のために利用した酸素量の最大量。心肺能力の指標のひとつ。

センチネルリンパ節切除
がん細胞が転移するとき、最初にたどり着くリンパ節をセンチネルリンパ節という。センチネルリンパ節にがん細胞がなければ転移はないと判断し、それ以上のリンパ節郭清は省略可能となる。つまり、腫瘍と

の再発予防という観点でみると、西洋風の食事と、果物や野菜に代表される食事のどちらも、関係はみられませんでした[120]。これら2種類の食事の違いを特徴づける傾向にあるものは脂肪です。けれども、今日までの時点で、食事から摂取した脂肪が、がんの再発や生存率に関連することを示す科学的根拠には、強い支持や明らかな一貫性がありません。とくに、全エネルギー摂取量や肥満の程度を考慮に入れた場合には、脂肪自体の影響ははっきりしていません[202][203]。

乳がんと診断された女性が、食事の内容を変えることで、乳がん再発リスクや全生存期間を改善することができるか検討するため、2つの大規模な臨床試験が行われました。そのうちの一つであるＷＩＮＳ試験では、低脂肪食を摂取したグループにおいて、がんの再発リスクが24％低下しました。この結果は、統計学的にも誤差範囲を超える水準近くの結果でした。けれども、低脂肪食のグループでは、同時に体重減少もみられたため、乳がんの再発リスクの低下は、体重減少によるもので、脂肪摂取量の減少によるものではない可能性もあります。もう一つのＷＨＥ

センチネルリンパ節を切除するだけで済む。

圧迫帯

腕や脚などの浮腫がみられる部分に巻き、圧力を調節して体液が移動するのを助け、貯留しないようにするもの。

全生存期間

基準日から死亡日までの期間。死亡の原因は問わない。

Ｌ試験では、食事からの脂肪摂取量を減らすことが栄養上の目標のひとつでしたが、食事療法による効果は示されませんでした。この試験では、低脂肪食による体重減少はみられませんでした。

野菜を多く食べることと、乳がんの発症リスクの低下には、一貫性のある関連性は示されず、果物の摂取と再発や生存期間との関係を示す科学的根拠も弱いものに留まっています[204][205]。ＷＨＥＬ試験では、主に野菜と果物の摂取量を増やすことに主眼がおかれましたが、この食事を摂取したグループでは、脂肪摂取量を減らすことや、食物繊維の摂取量を増やすことも奨励されていました[206]。この試験では、野菜と果物を多く含んだ食事を摂取したグループと、そうでないグループとの間には、*無再発生存期間に差はありませんでした[122]。けれども、この試験に参加した女性は、試験を開始した時点ですでに、１日平均７盛りの野菜と果物を摂取していました。ＷＨＥＬ試験で、試験を開始した時点でホットフラッシュが発生していなかった女性では、野菜と果物を多く含む食事を摂取することで、経過の改善が見られました[128]。このことは、エストロゲンの血中濃

無再発生存期間
がんの再発を認めない状態で生存している期間。

度が高い女性では、野菜と果物を多く含む食事を摂取することにより、生存期間に好影響が得られる可能性を示しています。また、この試験では、野菜と果物を多く含む食事を摂取するグループに所属していたかどうかにかかわらず、長期のカロテノイド摂取（緑黄色の野菜や果物を多く摂取した場合に血中濃度が高くなる）で無再発生存期間がより長いという結果でした。この結果から、乳がんと診断される前の野菜と果物の摂取により、経過が良好に推移する可能性があることがうかがわれます。[137] 食事に野菜を取り入れると、食事の総エネルギー密度*を減らすことができ、また、野菜と食物繊維はともに、満腹感をもたらします。看護師健康研究に参加した乳がん生存者を、診断後から平均して10年近く追跡したデータをみると、果物、野菜、全粒穀物を多く含み、加糖、精製穀物、動物性食品が少ない健康的な食事を摂取していた人では、乳がんの再発率や死亡率の有意な低下は見られなかったものの、典型的な西洋風の食事を摂取していた人と比べて、心臓病など他の病気による死亡率が有意に低いことが示されました。[120]

エネルギー密度
食品１g当りのエネルギー量（カロリー）。

大豆食品や亜麻仁油には、エストロゲンを抑制する作用と促進する作用の両方がある、*イソフラボンと呼ばれるフィトエストロゲンが豊富に含まれています。エストロゲンの血中濃度が高値であることは、乳がん再発のリスク因子として確認されています[207]。大豆イソフラボンは、試験管内で乳がんの細胞増殖を促進し、動物実験でも乳腺腫瘍を増殖させることが示されたため、乳がんと診断された女性が大豆を摂取すると、経過に悪影響をおよぼすのではないかとの懸念がありました。けれども、最近行われた3件の大規模な疫学研究によると、大豆食品は、単独でも、タモキシフェンと併用した場合でも、乳がんの再発や総死亡率に悪影響をおよぼすことはないという結果が得られ、むしろ、大豆食品とタモキシフェンの併用で、相乗効果が得られる可能性があることが示されました[208]〜[210]。これらの研究のうちの2件は、米国人のみが対象で、イソフラボンのサプリメントの摂取状況についてもデータを収集し、解析しています。現在までに得られている科学的根拠からは、大豆食品の摂取によって、乳がんの再発リスクや生存期間に悪影響をおよぼす可能性はうかが

イソフラボン
大豆に多く含まれるポリフェノールの一種。

われません。一方、イソフラボンのサプリメントの使用については、これら最新の研究に参加した人の中では少なかったため、その影響についての科学的根拠は限られています。

飲酒は、原発性乳がんのリスクの上昇と関係しています[170]。けれども、乳がん生存者での結果については、これまでのところ不一致です。1件の研究では、飲酒により、乳がん発症後の卵巣がん発症リスクが下がるという結果でした[174]。別の2件の研究では、飲酒により、対側乳がんの発症、乳がんの再発、死亡リスクが上がるという結果でした[176][177]。さらに1件の研究では、少量から中等量の飲酒では、乳がん再発リスクの上昇も低下もないという結果でした[175]。アルコールと全生存期間の関係について、このように矛盾した結果が得られる理由の一部としては、乳がん生存者にも合併する場合が多い心血管疾患のリスクが、飲酒によって低下するという事実や、また一般に、飲酒者には肥満が少ないことが関係していると考えられます。けれども理論上は、飲酒が二次原発乳がんのリスクを上げる可能性があります。しかし、飲酒は、効果と害の両方がある点で、特殊な要因です。健康な一般集団では、中等度のアルコール摂取（1日1~2ドリンク）が心血管疾患リスクを低下させるという、一貫した明白な科学的根拠があります。[166] 乳がん生存者では、がんの再発や二次原発乳がん、また、心血管疾患の発症リスクの程度も考慮に入れる必要があるため、中等度のアルコール摂取が適切かどうかという判断は難しくなります。

　[*]二次原発乳がんや心疾患の発症リスクを下げるための、栄養や運動についての勧告を覚えておくことは、乳がん生存者では特に大切です。[49][52][211][212] 食事については、野菜と果物を多くとり、飽和脂肪酸の量を減らして、食物繊維を十分にとるとよいでしょう。[124] 乳がん生存者にとって最も重要なことは、バランスのとれた食事をとり、定期的に運動することを通じて、健康的な体重を目指し、維持することです。[136] さらに、定期的な運動は、体重に関係なく継続して行うとよいでしょう。

二次原発乳がんや心疾患の発症リスクを下げるための、栄養や運動についての勧告

　米国対がん協会（ACS）の「がん予防のための栄養と運動に関する米国対がん協会ガイドライン」（173ページ）や米国心臓病学会（AHA）の「食事と生活習慣に関する勧告2006（Diet and Lifestyle Recommendations Revision 2006）」など。

大腸がん

食事、肥満、運動が、大腸がんの発症リスクに大きな影響を与えることは、疫学研究、臨床研究、基礎研究により指摘されています[213,214]。自らの意思で改善することができるこれらの要因が、身体の健康、生活の質、がんの再発や生存期間にどのように影響するかを調べるため、過去10年のあいだに数多くの研究が行われてきました[78]。

運動レベルを高く保ち、運動に関するガイドラインに則した運動を行うことと、患者自らの評価による生活の質、体の機能、倦怠感の改善との関係を、数件の観察研究が示しています[215〜220]。大腸がん生存者を対象として、運動がどのような効果を示すか調査することを目的としたランダム化比較試験では、運動指導をした群でもしない群でも、試験期間中に有*酸素能力が上昇した人では、低下した人に比べて、生活の質、身体機能、心理社会的苦難の程度が、有意に改善していたという結果でした[221]。

有酸素能力
有酸素エネルギーを用いて行う運動の持続能力。

最近報告された前向きコホート研究のデータによると、大腸がん生存者の中でも体をよく動かしている人では、がんの再発、大腸がん死亡率、総死亡率が低いことが示されています。[104]~[107][222] これらのデータに基づき、カナダとオーストラリアの共同による大規模なランダム化比較試験「結腸の健康と生涯にわたる運動変化（Colon Health and Life-Long Exercise Change：CHALLENGE）」が始まりました。[108] この試験では、過去2～6か月間に補助化学療法を完了した病期ⅡおよびⅢの結腸がん生存者が、計画的な運動を3年間行い、病気の経過への影響を調べます。

肥満が大腸がん患者の経過にどう影響するかについては、まだ明らかになっていません。[89][223]~[225] ほとんどの前向きコホート研究では、体重と身長は、診断時に計測された一時点でのデータのみを使用しており、肥満の程度がクラスⅡおよびⅢ（BMIが35以上）の人でのみ、がんの経過がやや悪くなる可能性が示されました（無病生存期間*が約20％悪化）。[89][225] 米国対がん協会がん予防研究Ⅱ栄養コホート（ACS Cancer Prevention Study II Nutirtion Cohort）の最近の報告では、大腸がんの診断前（診断から

無病生存期間

がんの治療終了後、がんの徴候や症状が現れずに患者が生存した期間のこと。

平均７年前）に、ＢＭＩ値が肥満の領域であった場合、全死亡率、大腸がん死亡率、心血管疾患死亡率のリスクがいずれも高いことが示される半面、大腸がんの診断後のＢＭＩ値に基づくと、これらいずれの死亡率とも関係性は示されませんでした[226]。

食事は、健康な集団が大腸がんを発症するリスク因子としては、広範に研究されてきました。しかし、大腸がん生存者の経過に、食事がどのような影響を与えるかを調査したデータは、非常に限られています。これまで実施された中で最大規模の前向き研究は、病期Ⅲの結腸がん生存者を対象としたもので、西洋風の食事が、無病生存期間と全生存期間に悪影響をおよぼすという結果でした[123]。半面、果物と野菜、鶏肉、魚類を多く含む食事と、がんの再発や死亡率のあいだに、明らかな関係は示されませんでした。ビタミンＤが、健康な集団における大腸がんの発症リスクに好影響をおよぼすことについては、比較的一致した結果が得られています[227]。最近の報告によると、ビタミンＤは、大腸がん生存者の経過にも好影響をおよぼすことが指摘されており、大腸がんの二次予防と治療の双方から、ビタミンDにどのような効果があるかを調査する研究が、現在盛んに行われています[156,157]。

大腸がんの大半は、腺腫性ポリープから発生するため、ポリープの再発予防を目的とした臨床研究も、数多く行われています。これまでに行われた試験では、抗酸化ビタミン、食物繊維のサプリメント、果物と野菜の摂取量を増やした食事を摂取することによるポリープの再発予防効果は、3年または4年の観察期間中には確認できませんでした[228]。葉酸がポリープの再発を抑えるという結果は臨床試験では示されておらず[229,230]、むしろ、多発性腺腫のリスク上昇との関連性が指摘されています[230]。しかし、カルシウムサプリメントには、ポリープ再発を防ぐ小さな効果が示されています[231]。

大腸がん生存者は、がんと心臓病の予防に関するガイドラインに従い、健康体重を維持し、定期的に運動を行い、バランスの良い食事の摂取を心がけるとよいでしょう。慢性的に便通の問題が生じている場合や、栄養の吸収に影響する手術を行った場合は、これらの体調変化に適応しながら健康を維持するために、管理栄養士に相談の上、体調を考慮した食事内容に変更するとよいでしょう。

子宮体がん

子宮体がんは、婦人科系のがんの中では最も多く、女性では4番目に多いがんです[4]。子宮体がんの経過は、診断時の病期によって異なり、病期Ｉの場合は90％の生存率を示します[232]。子宮体がんの主な症状は不正出血であり、患者が気づきやすく、医療機関を受診する可能性が高いことから、病期Ｉの段階で診断されることはめずらしくありません。

肥満は、子宮体がん発症の強いリスク因子です。*タイプＩの子宮体がん（最も多いタイプ）と診断された女性の約70～90％が肥満です[233]。しかし、肥満が子宮体がんの経過に与える影響を調査した研究は、ほとんどありません。診断前に肥満の場合、子宮体がんによる死亡率が有意に上昇することが示されています[234]。これは、肥満の女性の多くが、2型糖尿病や

タイプＩの子宮体がん
エストロゲンに依存して発生するがん。

高血圧などの病気を合併しており、この合併症の存在が、がんの治療を困難なものにしている可能性があります[76]。早期子宮体がんを対象とした婦人科腫瘍学グループ（Gynecologic Oncology Group）試験の参加者から得られたデータを調査したところ、肥満は、子宮体がん以外の原因による死亡率上昇とは関連性を示しましたが、子宮体がんの再発との関連性は示されませんでした[235]。肥満の女性は、子宮体がんの中でも悪性度の低いがんを発症する傾向があります[236]~[238]。けれども、子宮体がん患者が肥満の場合は全生存期間が短いことを報告する複数の研究[235][239]がある半面、そうでない結果が得られた研究もあります[236]~[238]。食事や運動が、子宮体がんの経過に果たす役割を調べた報告はありません。子宮体がんの経過に肥満がどう関わっているか完全には解明されていないものの、ＢＭＩが高い場合や、運動不足[233][240][241]は、子宮体がん生存者の生活の質の低下に関係することが示されています。

卵巣がん

米国では、婦人科系がんの中で死因のトップは卵巣がんです。[4] 卵巣がんには特徴的な症状があまりみられず、早期発見が困難です。そのため、卵巣がんの大半は、経過が不良な進行期で診断されることが多く、卵巣がんの10年生存率は39％です。[4] 生活習慣が、卵巣がんの経過に影響を与えるかについては、ほとんど明らかになっていません。[138][242] 我々の知るところでは、食事が卵巣がん患者の生存期間にどのように影響するかを調査した研究は３件のみです。[139][140][243] これら３件の研究では、症例対照研究*のうち卵巣がん症例の経過を追跡し、卵巣がんと診断される前の食事と死亡率との関係を調査しました。中国で行われた１件の研究は、緑茶に注目しました。卵巣がんの診断後に、緑茶を飲む回数と量が多いと、生存期間が良好であったと報告しています。[243] 他の２件の研究はオーストラリア[140]と米国[139]で行われたもので、卵巣がんと診断される前の食事が、卵巣がん患

症例対照研究

研究方法のひとつ。病気になった「症例」と、「症例」に性別や年齢などの要因が似た人を「対照」として選び、「症例」と「対照」の双方に対して、病気の原因と考えられる要因（例えば食生活など）を、過去にさかのぼって調査し、両者で比較する。食事とがんの関係を調べる場合、すでにがんになった「症例」と、比較群となる「対照」で、過去の食生活を思い出して回答してもらうため、記憶の偏りが生じやすく、一般に結果の信頼性はあまり高くない。

者の経過に影響することが報告されています。これら2件の研究はどちらも、果物と野菜の摂取が、良好な経過と関連する可能性を示唆しています。オーストラリアの研究では、乳製品の摂取で生存率が低くなる可能性が示されましたが[140]、一方、米国の研究では、乳製品全般ではなく、牛乳についてのみ、生存率低下との関係が示されました[139]。また、オーストラリアの研究では、肉類の摂取は生存率を改善する結果が得られた一方[140]、米国の研究では、肉類の摂取が生存率の低下に関係するという結果でした[139]。これらの研究では、関連する要因のほとんどを考慮に入れていましたが、治療についての情報は含まれていませんでした。また、診断後の食事についても調査していませんでした。しかし、これらの研究結果は、食事が卵巣がんの生存に影響する可能性があることを指摘しており、さらに研究が必要であることを示しています。

運動については、やはり症例対照研究の卵巣がん症例の経過を追跡し、卵巣がんの生存期間に対する影響を調べた研究が1件あるのみです[244]。診断前の運動状況を、幼少期、18~30歳、最近数年間の3期間に分け、それぞれの期間で1週間に何時間運動したかを調べました。またこの研究では、時間の経過による運動の変化についても評価しました。卵巣がん診断前の運動と生存期間に、大きな関係はありませんでした。例外として、18〜30歳の間の運動は、早期卵巣がんの女性では生存率の改善と関係し、進行卵巣がんの女性では生存率の低下に関係することをうかがわせる結果が得られました[245]。

過体重と卵巣がん患者の生存率との関係を調査した研究は、比較的限られています。肥満は、卵巣がんの手術療法や抗がん剤治療に悪影響を与え、手術後の合併症の発症率が上昇することから、卵巣がんの生存率に悪影響を与える可能性が考えられます[246]。全般的に、体重やＢＭＩと卵巣がんの生存率との関係について調べた研究報告は限られており、明確な結論は得られていません[76][242]。診断前の肥満と卵巣がん死亡率の関係を調査したコホート研究は、肥満の女性で死亡率が上昇することを一般に認めています[234][247]。症例対照研究や臨床試験に参加した人を追跡調査した他の研究（研究開始時点の肥満度のデータを使用）で、診断前のＢＭＩと卵巣がんの生存率との関係を調べた研究では、結果が不一致です。[242] 診断後の肥満度や体重の変化が、卵巣がんの生存率に与える影響については、ほとんど分かっていません。抗がん剤治療中の体重変化と卵巣がんの生存率の関係性について報告している研究は1件のみで、進行期の卵巣がん患者では、抗がん剤治療中に体重が減少すると、その後の経過が不良でした。しかし、この研究でみられた体重減少が、意図的な減量によるものか、意図しない減量によるものかは、明確ではありません。[248]

要約すると、現在得られている科学的根拠は限られており、明確な結論も得られていないものの、食事、運動、肥満度、体重は、卵巣がんの経過に影響を与える可能性があり、運動については、卵巣がん生存者の生活の質を改善する可能性が指摘されています。これらの点について公衆衛生上の勧告を行うためには、さらに研究を重ねる必要があります。

血液がんと造血幹細胞移植で治療されたがん

食事と*血液がんの経過の関連性は、これまで数件の研究で調べられているにすぎません。

*造血幹細胞移植を受けた患者では、過体重や肥満が、がんの経過に悪影響を与えると考えられますが、その科学的根拠は限定的です。*自家幹細胞移植を受けた患者から得られた臨床データを使用した1件の研究では、肥満は、治療に関連する毒性と死亡率、全生存率、無病生存率に悪影響がありました(249)。

観察研究では、血液がん生存者の運動レベルは低く、健康状況も悪化していることが示されています。成人や小児の血液がん生存者を対象として、運動の有益性を検討する試験が複数実施されています(30)(250)(251)。成人を対象とした試験結果のまとめによると、運動は、身体組成、心肺機能、倦怠感、筋力、身体機能、生活の質を改善する可能性があると報告しています(250)。

積極的な化学療法は、幹細胞移植の準備として放射線の全身照射と併せて行われることが多いのですが、悪心、嘔吐、下痢、口腔咽頭粘膜炎、

血液がん
血液細胞由来の悪性腫瘍のこと。白血病、悪性リンパ腫、骨髄腫が代表的。

造血幹細胞移植
血液がんなどの患者に対して、白血球、赤血球、血小板など、様々な血液細胞の源となる造血幹細胞を移植して、正常な血液を作ることができるようにする治療。

自家幹細胞移植
患者自身の幹細胞をあらかじめ採取して凍結保存しておき、後の移植に使う方法。

食道炎など、栄養摂取に大きく影響しうる特有の副作用が生じる可能性があります。放射線の全身照射は、胃腸粘膜に傷害を与えます。特に胃腸の上皮細胞は放射線照射の影響を受けやすいため、栄養吸収が不十分になり、下痢を引き起こすことがあります。また、移植後の管理で使用される経口の免疫抑制剤や抗生物質などの副作用によって、栄養上の問題が生じることもあります。また、同種移植*を受けた患者に共通する合併症として、移植片対宿主拒絶反応*がみられる場合がありますが、これには、腹痛、悪心、重度の下痢、吸収不良、顕著な窒素損失を伴うことがあります。専門的な栄養補助療法を受けていない患者は、多くの場合、長期にわたり食事摂取が不良となるため、栄養不良状態になる危険性が高くなります。[252]~[254]

　移植を受けた人には、感染症の予防対策として、低微生物食*が処方される場合があります。感染の原因はなま物や加熱していない食品にあるため、低微生物食や低細菌食は基本的に、加熱調理した食事となります。[255] このような食事には多くの食品制限が伴うため、低微生物食が処方

同種移植
　白血球の型であるＨＬＡが一致した健康な提供者（ドナー）から採取した幹細胞を移植する方法。

移植片対宿主拒絶反応
　提供者（ドナー）の血液が、移植を受けた患者（レシピエント）の臓器を免疫応答によって攻撃する反応。

低微生物食
　低温殺菌した牛乳やヨーグルト、加熱調理した食品、冷凍食品など。

された患者が実際に摂取した食物から十分な栄養素が得られているか、モニタリングが必要です。栄養不良の予防やエネルギー量および栄養素の補正は、ほとんどの移植施設で、移植後の標準的治療として取り入れられています。経腸栄養法の有効性を中心静脈栄養法と比較した最近の研究のまとめでは、評価可能なデータが不足していたので、どちらが有効か十分に判断することはできませんでした[256]。最近の傾向としては、中心静脈栄養法よりも、合併症を起こす危険性が低く、治療費用も比較的安価な経腸栄養法が行われる場合が多くなってきています[255]。

肺がん

肺がんの治療は身体への負担が大きく、副作用を生じる可能性が少なくありません。さらに、多くの肺がん生存者は、診断される前からすでに低体重で、血液中の栄養素が減少しています。不十分な食事や喫煙が、微量栄養素の量に悪影響を及ぼした結果と考えられます。肺がん生存者は、治療中や治療直後の回復期に、高カロリーで飲み込みやすい食物を食べることが有用な可能性があります。通常量の食事を１日３回とするよりも、少量ずつでも回数を増やして食べる方が容易で、飲み込みやすいでしょう。体重が減少した人には、薬による治療や、高カロリー栄養補助食品や経腸栄養法による栄養療法が効果的でしょう[257]。栄養状態が不良な場合や、微量栄養素の必要量を食物で十分摂取できない場合は、錠剤や液状のマルチビタミンのサプリメントやミネラルのサプリメントを摂取することが望ましいでしょう。

　肺がん患者では、身体機能を制限し、呼吸困難、呼吸苦、不安感、筋力低下、倦怠感、心肺機能の低下など、苦痛となる様々な症状が生じる場合があります。しかし、一部の肺がん患者では、このような状況にあっても運動できることを報告した臨床試験が複数存在します。合計６７５人の肺がん患者を対象とした16件の臨床試験のまとめでは、手術を受ける前に運動療法を行った患者では、運動能力の改善は認められたものの、運動療法を行った後の健康に関連する生活の質には変化がみられませんでした[258]。さらに、標準的な肺がん治療の後で運動した場合の効果を評価した他の試験では、運動能力の改善は認められたものの、生活の質に対する効果について、結果は不一致でした。肺がん患者における運動の効果を明らかにするためには、さらに研究が必要です。

肺がんの診断後に、ベータカロテン以外のサプリメントを服用した場合の有用性や有害性の可能性については、あまり検討されていません。セレニウムと皮膚がんの関係を調査した1件の臨床試験において、セレニウムのサプリメントと肺がん発生率の低下が関連している可能性が指摘されました[259]。早期肺がん患者のうち、ビタミンD量が良好な人は生存率が改善すると報告した研究者もいますが[260]、これらの知見は追試して確認する必要があります。

食事に関する要因と肺がんの経過の関係を調べた研究はほとんどありません。2件の小規模な臨床試験は、進行肺がん患者を対象に、特定の野菜を含む食事に生存率を改善する効果があるかどうか調べました[261][262]。これらの試験で、野菜を含む食事を摂取した患者では、体重減少が小さく、生存期間も延長していました。しかし、これらは予備的な結果であるため、より大規模な臨床試験で確認する必要があります。肺がん生存者を含む3件のランダム化比較試験では、生存者のエネルギー摂取量を増やすよう指導しました。[263]~[265] エネルギー摂取量を増やすことには成功しましたが、これらの試験で行われたいずれの方法においても、体重減少を予防することはできませんでした。

肺がん生存者の栄養と運動に関する助言は、各個人のニーズに基づいたものが最善となります。食事を調整し、運動を行うことを通じて、健康体重の達成を目指すこと、そして、栄養価の高い食事を摂取し、必要があればマルチビタミンのサプリメントやミネラルのサプリメントで補いながら栄養必要量の確保に努めることは、合理的な目標です。

前立腺がん

栄養と前立腺がんに関する研究の大半は、健康な人の前立腺がん発症について調べたものです。[266,267] 高齢者では無症状の前立腺がんの頻度が高いため、前立腺がんの発症低下に関連する生活習慣上の因子が、診断後に前立腺がんが増殖する速度を抑えることにも関与している可能性があり、早期前立腺がんを予防したり進行速度を遅くすることも考えられます。注目すべき例外は体重と肥満で、がんの進行や、より悪性度の高い前立腺がんの発症と関連していると考えられています。[268] 近年、栄養に関する因子が、前立腺がん患者の生存期間延長や、前立腺がんの経過に関連する生体指標*（前立腺特異抗原など）に影響を与えるかどうか、複数の臨床試験で検討されています。

　動物性食品、特に飽和脂肪酸が多い食物の摂取が、健康な人の前立腺がん発症リスクの上昇に関係することが示されてきました。[203,266] このリスクの上昇が、飽和脂肪酸そのものによるものなのか、あるいは、赤肉や高脂肪製品の摂取によるものなのかは、明らかではありません。脂質の多い魚類を摂取すると、前立腺がん死亡率が低下する可能性があるという研究があります。これは、脂質が大切だとすれば、脂質の種類が重要な

前立腺特異抗原
Prostate Specific Antigen（PSA）。前立腺がんや前立腺肥大症で、血液中のPSA値が上昇する。

役割を果たしている可能性をうかがわせるものです。前立腺がん生存者を対象として、栄養に関する因子と生存率との関係を調べるため、2件の追跡調査が行われています。そのうち1件では、（総脂肪ではなく）飽和脂肪酸の摂取が、生存率の低下と関係していましたが、[269]他の1件では、一価不飽和脂肪酸の摂取が、生存率の改善と関係していました。[129]飽和脂肪酸の心血管疾患に対する悪影響や、前立腺がんと結腸がんに対する悪影響の可能性についての現在の知見から考えると、前立腺がん生存者が飽和脂肪酸の摂取を減らすことは有益である可能性が非常に高いと考えられます。[47][49]最近報告された、前立腺がん患者を対象とした臨床試験データの二次的分析によると、低脂肪食を摂取した人では、がんの進行と関連する炎症マーカーの血中濃度が有意に低下していました。[270]しかし、ＷＩＮＳ試験と同様に、この効果が、食事からの脂質摂取を制限したためなのか、体重減少のためなのかは明らかではありません。

　食事と前立腺がん再発リスクの関係を調べた1件の研究では、魚類とトマトソースに再発リスク低下との関連性がみられました。[141]野菜や果物が前立腺がんの発症や再発リスクに好影響を与えるかどうかについては、明らかと言うにはほど遠い現状ですが、これらの食物を多く含む食事が心血管疾患のリスクを低下させることは分かっています[49]。したがって、微量栄養素とフィトケミカルを豊富に含む野菜や果物を多く食べることは、おそらく前立腺がん生存者にとっても有益であると言えるでしょう。

大豆食品（豆腐や豆乳など）の摂取を増やすことは、前立腺がん生存者のセルフケアとして一般的です。その前提として、フィトエストロゲンが有益かも知れないという仮説があります。一部の研究では、大豆食品が前立腺がんのリスク低下に関係する可能性が示されています。けれども、大豆や他のフィトエストロゲンが、診断後の前立腺がんの進行に与える影響を、より厳格な条件下で調べた臨床試験はまだ報告されていません。１６１人の男性を対象としたランダム化比較試験では、亜麻仁油（リグナンとオメガ-３系脂肪酸を多く含む食品）を１日あたり30ｇ摂取したグループでは、摂取しない比較群と比べて、前立腺がんの増殖率が低下していました。[271]

アンドロゲン遮断療法（ＡＤＴ）を受けた前立腺がん生存者では、骨粗鬆症の発症リスクが高くなっています。また、最近行われた１件の研究では、25-ヒドロキシビタミンＤ(25(OH)D：血中ビタミンＤの主体)濃度が低いことと、致死的な前立腺がんと関係することが指摘されました。[272] サプリメントから摂取する高用量のカルシウムは、より悪性度の高い前立腺がんとの関連性が指摘されていることから、前立腺がん生存者にとって、カルシウムやビタミンＤのサプリメントが有益なのか有害なのかは不明です。[273] 男性は、１日最低６００IU*（国際単位）のビタミンＤを含む食事と、（１日１２００㎎を超えないような）適量のカルシウムを摂取し、定期的な体重負荷運動を含む活動的な日常生活を送ることが賢明でしょう。ビタミンＤとその関連化合物が、前立腺がんの再発予防に果たす役割を調べる臨床試験が、現在進められているところです。２件の予備的な臨床試験によると、ビタミンＤだけの投与や、ビタミンＤと抗がん剤の併用により、ＰＳＡ値が低下する可能性が指摘されていま

＊600IU　15μg。

す。けれども、ビタミンDをより長期間投与した場合の効果を調べるには、さらに研究が必要です。[274,275]

ビタミンEによる肺がん予防効果を調べた大規模な臨床試験で、前立腺がん発症リスクの低下が示されました。けれども、この試験の参加者で前立腺がんを発症した男性では、生存期間に対するビタミンEの効果は認められませんでした。[276,277] また、最近報告されたランダム化比較試験では、ビタミンEのサプリメントを服用した男性では、前立腺がんの発症リスクが若干増加しました。[153,278] 同様の事例として、セレニウムの皮膚がん予防効果を調べるために実施された小規模な臨床試験では、セレニウムのサプリメントによる前立腺がん発生率の低下が認められましたが、[259,279] 最近報告された臨床試験（ＳＥＬＥＣＴ）では、セレニウムによる前立腺がんの発症予防効果は認められず、むしろ、セレニウム投与群の糖尿病リスクが上昇しました。[278]

２件の大規模コホート研究では、肥満の男性では、健康な人が前立腺がんで死亡するリスクと、前立腺がんと診断された後の前立腺がんによる死亡リスクが、大きく増加していました[234][280]。さらに、Freedlandらによる単一施設での研究では、前立腺全摘出術を受けた男性が肥満の場合、（生化学的指標で評価した）再発リスクが高くなりました[56]。また、ある一人の外科医による前立腺摘出手術を受けた患者集団の追跡調査では、診断後に体重が増加した男性では、診断後に体重が増加せず維持した男性と比べて、再発リスク（大半は生化学的指標で評価）が約2倍に増加していました（がんの経過に与える他の因子を考慮に入れた上で解析）。この研究では、体重が減少した患者では再発リスクが低下傾向にありましたが、この所見は誤差範囲に留まる結果でした[281]。

多くの前立腺がん生存者は、骨量減少、筋量減少、脂肪増加など、アンドロゲン遮断療法に関連する体の変化に直面します。これらの変化によって、著しい体調不良や、筋力低下、倦怠感、抑うつなどの症状が起こることがあります。運動、特に、筋力トレーニングが、前立腺がんの様々な段階で治療を受けている男性に対して、どのような影響を与えるかを調べるため、複数の臨床試験が行われてきました。運動の効果を検討した9件の試験結果のまとめでは、運動は、筋力、身体機能、倦怠感、健康に関連する生活の質に好ましい影響を与えることが示されています。[282] 放射線療法単独、あるいは、放射線療法とアンドロゲン遮断療法の両方を行った前立腺がん患者１２１人を対象に最近行われたランダム化比較試験では、患者を、通常の診療を受けるグループ、筋力トレーニングを行うグループ、有酸素運動を行うグループのいずれかに割り付けました。その結果、筋力トレーニングが、短期と長期の倦怠感、生活の質、有酸素能力、上半身と下半身の強度を改善し、体脂肪の増加を抑えることが示されました。[283] 一方、有酸素運動は、短期の倦怠感と体力を改善しました。

最近、転移のない前立腺がんの男性２７００超例を対象とした前向きコホート研究で、運動をする男性では、総死亡率および前立腺がん死亡率が有意に改善することが示されました。[65] １週間に3時間以上、強度の強い活動を行っている男性では、総死亡率が50%近く低く、前立腺がん死亡率も60%低下してました。

前立腺がんと診断された男性は、健康体重を目指して維持し、運動を生活に取り入れ、野菜や果物が多く飽和脂肪酸が少ない食事をとり、適量のカルシウムを食物から摂取することを心がけるとよいでしょう。しかし、このような栄養学上の助言は、抗アンドロゲン療法を受けている場合や、運動の種類によっては骨折リスクが上昇することを考慮する必要があります。これらの勧告と前立腺がん再発の関連性を示す科学的根拠は限られているものの、他の大きな利益、特に、前立腺がん生存者の主な死因である心血管疾患のリスクを低下させる可能性があります。

上部消化管のがん（胃がん、食道がん、膵臓がん）および頭頸部がん

栄養や運動が、上部消化管のがんや頭頸部がんの生存者の経過にどのような影響を与えるかを調べた研究はほとんどありません。頭頸部がん生存者を対象として、ベータカロテンのサプリメントがプラセボと比べてどのような効果があるかを調べた臨床試験では、ベータカロテンのサプリメントを服用した人の頭頸部がんの再発率や生存率は、服用しな

かった人と同程度であることが示されました[284]。これとは対照的に、同じ患者集団で行われた、ビタミンEのサプリメントの効果を調べた臨床試験は、ビタミンEのサプリメントを投与された人は、プラセボを投与された人と比べて、頭頸部がんの再発リスクがむしろ上昇しました[152]。

頭頸部がんは、食物の摂取に直接的な影響をおよぼすため、診断時点で患者の多くに体重減少や栄養不良が認められます。頭頸部がん生存者に対する包括的なケアには、治療前、治療中、治療後の各段階で全般的な健康状態の改善を図る目的で、栄養状態の適切な評価と補助や、運動と理学療法が含まれます。栄養摂取が不良となる原因として、診断時や手術後に、噛むこと・咀嚼・飲み込みが困難になることや、放射線療法や抗がん剤治療により、口内の乾燥や粘膜炎、味覚変化が生じることがあります。頭頸部がんの長期生存者の多くは、少なくともある程度の誤嚥*を経験します。誤嚥は、大きな体重減少、嚥下能力の低下、生活の質の低下と関係します[285]。治療中や治療直後には、食物の食感、温度、均一性、栄養量、食事の回数などの調節が必要となる場合が多くなります。すっ

誤嚥
食べたり飲んだりしようとしたときに、飲食物が食道ではなく気管に入ってしまうこと。

ぱいもの、塩辛いもの、刺激の強い食物や、過度に熱い食物の摂取は難しくなる可能性があります。砂糖を含まないガムやミント、市販の口腔内洗浄液やジェル、水を摂取することで、ある程度症状を抑え、食欲を増進させることが期待できます。治療中や回復期には、裏ごしした食物や、ミキサーで撹拌した食物が、より摂取しやすいでしょう。抗がん剤治療や放射線療法は、患者の食事摂取能力に大きな影響を与える可能性がありますが、治療後12か月目までには改善するケースがほとんどです。[286] 患者が食物や飲料から栄養必要量を十分に摂取できない場合、医療職は、代わりの手段を提案することもできます。治療中や治療直後には、*胃瘻チューブの予防的な留置がよく行われます。治療中は、嚥下機能を維持するため、柔らかく、湿り気のある食物をとるのがよいでしょう。食道がんや胃がんでは、栄養補助のための治療が必要な場合もあります。このような患者には、手術の状況により、胃瘻チューブや腸瘻チューブの留置が必要となる場合があります。食道がんや胃がんの手術直後に経管栄養を開始した場合、集中治療室での治療期間や入院期間を短縮でき

胃瘻
お腹に小さな穴をあけて胃の中にチューブを通して栄養剤を注入する方法。

る可能性があります。[286][287]

頭頸部がん生存者を対象とした数件の小規模な臨床試験では、運動が、身体機能の改善や、痛みや身体の障害の軽減をもたらし、生活の質を改善することが示されています。[288]～[290] 52例の頭頸部がん生存者を対象とした臨床試験では、徐々に強度を増す筋力トレーニングと、標準的な理学療法の比較を行い、筋力トレーニングが、患者の自己申告による肩の痛みや障害、上腕部の筋力、上腕部の耐久性を有意に改善することが報告されました。[289] さらに、頸部切開による障害、倦怠感、生活の質の変化も、誤差範囲の結果に留まるものの、筋力トレーニングを実施した人で改善する傾向がみられました。

食道がんや胃がんの患者では、早期満腹感、ダンピング症候群*、吸収不良などの症状が現れることがあり、その場合、食事や栄養素の摂取、吸収、消化が影響を受けます。また、治療の影響により、栄養障害が長期または持続的に続くこともあります。食道がんの生存者は、一時的または長期間におよぶ嚥下障害、嚥下痛、胃食道逆流、早期満腹感を経験

ダンピング症候群

胃を切除した後に食事をとると、食物が小腸内に急に届くために起こる症候群。動悸、冷汗などの全身症状と、下痢、悪心・嘔吐などの腹部症状などが起こる場合がある。

することがあります[9]。がん専門の管理栄養士のアドバイスを受けながら、食事のとり方を調整すると、治療に関連する症状をある程度コントロールすることができ、健康体重を達成・維持し、生活の質を回復することの助けとなるでしょう。

　胃がん患者の栄養管理については、がんの部位や、手術後の胃の状況を考慮した上で決めていくことになります。食道や幽門括約筋*に病変がある場合は、1回の食事量を少量にし、食事や軽食の回数を増やし、糖分の多い菓子の摂取を避け、早期満腹感に対処するために、食事と食事の間に水分をとるようにするとよいでしょう。さらに、誤嚥を回避するため、就寝前の3時間は、食事を控えることが望ましいでしょう。これらの患者では、鉄分やカルシウムなどのミネラルやビタミンB_{12}などのビタミンの消化や吸収に変化が起きているため、微量栄養素が欠乏する危険性が非常に高くなっています。可能であれば、治療を始める前から患者の状況を検査した上で、治療中からその後の期間を通じて、長期的に経過を観察する必要があります。

幽門括約筋
胃と十二指腸とがつながる幽門の開閉を調節する環状の筋肉。

膵臓がんの場合は、オメガ-３系脂肪酸のサプリメントが、短期の体重、日常生活動作などの要因に好影響を与えるという科学的根拠が増えてきています。[291]〜[294] 膵臓がんの患者では、診断時に体重減少が多くみられ、がんの治療期間中を通じて、*内分泌の機能不全に加え、*外分泌機能も不全状態に陥ることがよくあります。病気の症状や、治療による副作用をコントロールするため、食事を調節すると共に、膵酵素を補給することは非常に有効です。個々の患者に合った栄養療法を行うためには、管理栄養士に相談し、日々の状況の経過観察を頻繁に行うことが推奨されます。

現時点では、確実な情報がないため、頭頸部がんや上部消化管のがんの生存者は、可能な限り、*「がん予防のための栄養と運動に関する米国対がん協会ガイドライン」に従うようにしましょう[52]。

内分泌の機能不全

膵臓の機能のうち、ホルモン（血糖を下げるインスリンや、血糖を上げるグルカゴン）を血液中に分泌する機能が低下すること。

外分泌機能も不全状態

膵臓の機能のうち、消化酵素（たんぱく質分解酵素であるキモトリプシンやトリプシン、炭水化物の分解に働くアミラーゼ、中性脂肪の分解に働くリパーゼなど）を消化管に分泌する機能が低下すること。

がん予防のための栄養と運動に関する米国対がん協会ガイドライン

１７３ページ参照

第4章

がん生存者の栄養と運動についてのよくある質問

がん生存者は、生活の質や生存率を改善するために、食事、運動、サプリメントの使用について、医療職からの情報やアドバイスを求めることが多くあります。医療職が助言を行うさいには、いかなる患者に対しても、単一の研究が決定的な情報を提供することはありえないこと、また、マスコミの個々のニュース記事は、目新しいものや、今までとは異なるもの、あるいは、それまで一般的に受け入れられてきた定説に疑問を投げかけるものなどを取り上げる傾向があるため、相反する点や矛盾点を過剰に強調している可能性があることを、よく説明することが大切です。大まかな情報だけを伝えるニュース記事では、レポーターがつねに研究結果を適切に報道できているとは限りません。食事と運動に関する最善の助言としては、たった1件の研究結果やニュース記事だけに基づいて、食事や運動の内容を変えるような場合は、ほとんどないということです。以下に、がん生存者に共通する、食事と運動に関する関心事のQ&Aを記載します。

アルコール

Q1 アルコールは、がんの再発リスクを上昇させますか？

A

多くの研究で、飲酒と、口腔、咽頭、喉頭、食道、肝臓、乳腺、そしておそらく結腸の原発がんの発症リスクとの関連が報告されています。[47][170][165] がんと診断された人が飲酒すると、おなじ部位に、新たな原発がんが発生するリスクに影響を与える可能性があります。[171] 飲酒すると、エストロゲンの血中濃度が増加する可能性があるので、理論的にはエストロゲン受容体陽性乳がんの再発リスクが上昇することになります。しかし、現在のところ、乳がん生存者の飲酒について調査した研究は数件しかなく、そのうちの約半数では、アルコールは有害であると示している一方、残る半数では、逆に飲酒は有益である、もしくは、有害ではないことを示しています。1件の研究では、アルコールの有害作用は、過体重や肥満の女性で発現しやすいことを指摘しています[176]。一方、アルコールには、心臓病の予防効果があるため、飲酒するかどうかは、遺伝的素因、がんの再発リスク、心血管性疾患リスクのバランスに大きく依存することになります。

Q2 がんの治療中は、アルコールを控えるべきですか？

A

治療期間中の飲酒について助言する場合には、がんの種類と病期、治療内容を考慮することが大切です。多くの抗がん剤は肝臓で分解されますが、アルコールによる肝臓の炎症、特に、治療期間中やその前後に飲酒した場合は、抗がん剤の分解に影響をおよぼして、毒性が増す可能性があります。したがって、一般的には、抗がん剤との相互作用や、放射線療法中に治療部位がさらに悪化することを防ぐため、飲酒は避けるか、最小限にとどめるべきでしょう。また、口内炎がある場合は、たとえ口内洗浄液に含まれる程度の少量のアルコールであっても刺激となり、症状を悪化させ、治りを悪くする可能性があります[295]。

抗酸化剤

Q3 抗酸化剤は、がんとどのような関係があるのですか？

A 抗酸化剤は、自然界にも様々な形で存在し、組織の酸化による傷害を防ぐ一助となります。酸化による傷害は、がんの発生過程に関与している可能性があるので、食物やサプリメントにより抗酸化物質を多く摂取すると、がん予防の助けになるのではないかという仮説がたてられています。一部の研究では、抗酸化物質（ビタミンC、ビタミンE、カロテノイド、その他多くの抗酸化フィトケミカルなど）を豊富に含む野菜や果物を多く摂取している人では、一部のがんのリスクを低下させる可能性を示しています[296]。がん生存者では、二次がんを発症するリスクが上昇しているので[45]、抗酸化物質を豊富に含む様々な食品を、毎日摂取するとよいでしょう。けれども、抗酸化物質を含むサプリメントの効果を調べた臨床試験では、がんの発生率を下げる効果は認められていません[297,298]。現時点での最善のアドバイスとしては、サプリメントではなく、食物や飲み物から抗酸化物質を摂取することです。

Q4 がんの治療中に、抗酸化サプリメントを摂取することは安全ですか？

A 多くのサプリメントには、最適な健康を保つための食事摂取基準の推奨量よりはるかに多量の抗酸化物質（ビタミンCやビタミンEなど）が含まれています[17,21,299]。

現時点では、科学的根拠は限られていますが、抗がん剤治療や放射線療法を受けている間に、抗酸化作用があるサプリメントを多量に摂取することは、賢明な策とは言えないでしょう。なぜなら、これらの治療は、がん細胞に酸化傷害を与えることによって、その効果を発揮しますが、抗酸化物質は、この効果の妨げになる可能性があるためです(300)(301)。しかし、一部の研究者は、抗酸化物質でこのような逆効果が生じる可能性は、単なる仮説に過ぎず、また、抗がん剤や放射線療法が、がん細胞だけではなく正常細胞も傷つけるところを、抗酸化物質が治療による傷害から正常細胞を守る効果も期待されるため、全体としては有益性が上回るのではないかと論じています(23)。抗がん剤や放射線療法を受けている間に、抗酸化物質や、他のサプリメントを摂取することが有益か有害かという質問には、現時点では、科学的に明らかな回答が得られていない状況です(22)(302)～(304)。このように不確実な状況のもとでは、今後より多くの科学的根拠が得られ、有益性が有害性を上回ることが明らかになるまでは、抗がん剤や放射線療法で治療中のがん生存者がサプリメントを使用することは、治療上明確な目的をもって医師から特別に指示された場合を除き、明らかな栄養不足を補う場合に限定し、栄養所要量以上の抗酸化ビタミン類を含むサプリメントの摂取は避けることが賢明です[17][20][21]。

脂肪

Q5 総脂肪、あるいは特定の脂肪の摂取を控えると、がんの再発リスクの低下や、生存率の改善が見込めますか？

A 脂肪摂取と、乳がん診断後の生存期間の関連性を調べた研究がいくつか行われましたが、結果は不一致です[136]。早期乳がん生存者を対象として行われた大規模な臨床試験の予備的結果によると、低脂肪食には、特にエストロゲン受容体陰性の乳がん女性のがん再発リスクが抑えられる可能性が示されました[91]。総脂肪摂取が、がんの経過に影響を与えることを示す結論的な科学的根拠は得られていません。けれども、脂肪の多い食事はカロリーが高いので、肥満を促します。その結果、一部のがんの発生率が高まり、がん再発リスクが上昇し、多くのがんの生存率が下がる可能性に留意することが大切です。

飽和脂肪酸など、特定の脂肪は、がんのリスクを上昇させる可能性があることを示す科学的根拠があります[47][48][305]。他の種類の脂肪（魚類やクルミに多く含まれるオメガ-3系脂肪酸、オリーブ油やキャノーラ油に多く含まれる一価不飽和脂肪酸、その他の多価不飽和脂肪酸）が、がんのリスクを低下させるという科学的根拠はほとんどありません。１件の研究では、飽和脂肪酸の摂取が多いと前立腺がん生存率が低いことが示され、別の研究では、一価不飽和脂肪酸の摂取が多いと前立腺がん死亡率が低いことが示されました[129][130]。さらに、飽和脂肪酸の過剰摂取は、心血管疾患のリスク因子であることが知られています。心血管疾患は、がん生存者を含め、全人口集団でも発生率や死亡率が高い疾患です。*トランス脂肪酸は、血中コレステロール濃度を上昇させるなど、心血管系に悪影響を与えますが[49][306]、トランス脂肪酸と、がん発生率や生存率との関連性は示されていません。いずれにせよ、トランス脂肪酸は心血管疾患のリスクを

トランス脂肪酸

構造中にトランス型の二重結合を持つ不飽和脂肪酸。多量に摂取するとＬＤＬコレステロールを増加させ心臓疾患のリスクを高める。２００３年以降、トランス脂肪酸を含む製品の使用を規制する国が増えている。

上昇させることから、がん生存者は、トランス脂肪の摂取をできる限り最小限に抑えることが大切です。トランス脂肪酸は、マーガリン、焼き菓子、部分水素化油脂*を含むスナック食品などに含まれています。

食物繊維

Q6 食物繊維には、がんを予防したり、生存率を改善する効果がありますか？

A 食物繊維は、様々な種類の植物性炭水化物であり、人間の体内では消化されません。食物繊維は、「水溶性」（オーツ麦のふすまなど）と、「不溶性」（小麦ふすまやセルロースなど）に分類されます。水溶性の食物繊維は、血中のコレステロール濃度を下げることにより、冠動脈性心疾患のリスクを低下させる働きがあります。また、食物繊維は、腸の機能を改善する働きもあります。食物繊維は、豆類、野菜、全粒穀物、種実類、果物に多く含まれます。これらの食物には、がんのリ

部分水素化油脂
マーガリン、ショートニングなど。

スクを低下させ、冠動脈性心疾患のリスク低下などの有益な効果を示す他の栄養素も含まれているので、これらの食物を摂取することが推奨されます。[46]

亜麻仁油

亜麻仁油は、ビタミン類、ミネラル類、食物繊維の優れた供給源であり、フィトエストロゲン作用があるリグナンやオメガ-3系脂肪酸が非常に多く含まれています。[307] ヒトでの研究を行う必要がありますが、培養細胞や実験動物を用いた研究では、亜麻仁油またはその分離化合物が、がんの増殖を抑え、タモキシフェンなどの治療効果を増強する作用も示されています。がん生存者を対象とした2件のランダム化比較試験のうち、32例の乳がん女性が対象の試験と、１６１例の前立腺がん男性が対象の試験では、がんの手術を受ける前に亜麻仁油を補充した食事を摂取した人は、他の食事を摂取した人と比較して、がんの増殖率が有意に低いことが示されました。[271][308] しかし、これらの結果を確認するためにはさらなる研究が必要です。

食品衛生

Q7 がんの治療を受けている人に対する食品衛生上の特別な注意事項はありますか？

A 感染は、がん生存者の特別な関心事で、特に、ある種のがん治療によって起こりうる免疫抑制や白血球減少症が生じている場合は心配です。[178] 免疫抑制が生じる治療が行われている間、生存者は、安全基準以上の病原微生物を含む可能性がある食物は避けるよう、特に注意する必要があります。食べる前に手を洗うことや、野菜や果物をよく洗うこと、食物を適切な温度で保存することなど、一般的な食品衛生対策も行うべきです。がん生存者は、表5（70ページ）にまとめられている食品衛生に関して指導を受けるようにしましょう。

肉類の調理法と保存法

Q8 肉類の摂取は避けるべきですか？

A

複数の疫学研究で、赤肉や加工肉を多く摂取することと、大腸がん、前立腺がん、胃がんのリスク上昇との関係が示されています。[305][309]〜[311] 一部の研究は、肉類を炒める、茹でる、焼くこと、特に、脂肪分を多く含む肉類や皮付きの鶏肉を非常に高温で調理すると、*ヘテロサイクリックアミンと呼ばれる発がん物質が作りだされることを指摘しています。そのため、「*がん予防のための栄養と運動に関する米国対がん協会ガイドライン」では、加工肉や赤肉の摂取の制限を勧めており、赤肉や加工肉、高脂肪のたんぱく質食品を高温で調理することは避けるよう勧告しています。これは、がん生存者が全般的な健康を増進する上でも当てはまることでしょう。しかし、現時点では、加工肉、高温で調

ヘテロサイクリックアミン
肉や魚などを高温調理することにより生成される化合物。発がんリスクを持つ。

がん予防のための栄養と運動に関する米国対がん協会ガイドライン
173ページ参照

理した肉類、あるいは肉類全般が、がんの再発や進行に与える影響を示す科学的根拠はありません。

肥満

Q9 肥満は、がんの再発や二次がんのリスクを増加させますか？

A

過体重や肥満の場合、様々ながんの再発リスクが上昇し、生存率が低下することを示す科学的根拠が増えてきています。[63,76] また、過体重や肥満は、がん全体の死亡率の上昇との関係も指摘されています。[55,234] ほかにも、減量には健康上の利益があるため、肥満の人は、健康体重を目指し、維持することが推奨されます。成人期の過剰な体重増加を防ぐことは、がんの発症や再発リスクを低下させるだけでなく、他の慢性疾患リスクを低下させる上でも大切です。[49,51,52]

オーガニック食品

Q10 オーガニックと表示された食品は、がん生存者に推奨されるものですか？

A 「オーガニック」という言葉は、農薬や遺伝子組み換え技術を使用せずに育てた食物や、抗生物質や成長ホルモンを与えられていない動物から得られた肉類、鶏肉、卵、乳製品のことを指します。オーガニックという言葉を、食品表示や包装に表示するためには、米国農務省による基準を満たす必要があります。オーガニック食品を摂取すると、農薬への曝露が低減されるため、より健康的であると言われています。また、同じ食品でも、一般的なものよりオーガニック食品の方が、栄養成分が優れているとの指摘もあります。このことが、オーガニック食品の摂取が健康上の利益となることを意味するのかどうかは、明らかではありません。現時点では、オーガニック食品が、他の農法や製造法で作られた同様の食品と比較して、がんの発症、再発、進行の抑制という点で、より有効であることを示す、ひとの集団での疫学研究は存在しません。

Q11 がんの治療中や回復期に運動を行うべきですか？

A がんの治療中に運動を行うことは、安全で実施可能なだけでなく、身体機能や生活の質の様々な面の改善を期待できることを示す、強い科学的根拠があります。中等度の運動は、倦怠感、不安、自己評価、心血管能力、筋力、身体組成を改善することが示されています。日常的に運動している人が化学療法や放射線療法を受けている間に運動をする場合は、がんの治療を受けていない人よりも一時的に強度を下げるか、運動する時間を短時間に留めておく必要があるでしょう。一番の目標は、日常の活動レベルをできる限り維持し、治療の終了後には運動レベルを上げることです。

Q12 がん生存者が考慮すべき運動の特別な注意事項はありますか？

A

がん生存者に特有の問題が、運動能力に影響したり制限を加えたりする場合があります。また、一部の治療の影響で、運動によるけがや副作用のリスクが増す可能性があります。たとえば、重度の貧血の場合は、貧血が改善するまで運動は延期すべきであり、免疫機能が低下している場合は、白血球数が安全域に回復するまで、ジムやその他の公共施設の使用を避け、放射線療法を受けている生存者は、塩素に触れて皮膚症状が発生する可能性があるため、プールの使用は避けるべきです。がんと診断される前に運動していなかった人は、まず軽度の運動から開始し、徐々に強度を増していくとよいでしょう。高齢者、骨転移や重度の骨粗鬆症により骨に障害がある場合、関節炎や末梢神経障害などの強い障害がある場合は、転倒やけがのリスクを下げるために、身体のバランスに十分注意することが必要です。

Q13 定期的に運動すると、がんの再発リスクを減らせますか？

A

全てのがんの種類で検討されたわけではありませんが、20件を超える観察研究が、がんの再発、がん死亡率、全死亡率に運動がおよぼす影響を検討しています。今日までの研究は主に、乳がん、大腸がん、前立腺がん、卵巣がんの生存者を対象としたものです。これらの研究では、診断後の運動と、がんの再発リスク低下や生存率の改善に関係があることが示されました。これらの研究は、運動ががんの進行を抑える直接的な効果があると判断する上で有望な結果を示していますが、ランダム化比較試験を含め、さらに研究が必要です。けれども、運動は、心血管疾患、糖尿病、骨粗鬆症を予防する上で有効であることが一般集団で示されており、これはおそらくがん生存者にも当てはまると考えられます[55][114]。したがって、がん生存者には、体をよく動かす習慣を身に着けることが勧められます。

Q14 ヨガはがん患者やがん生存者にとって有益ですか？

A

ヨガの効果は複数の臨床試験で検討されており、主に乳がんの女性の経過に対する効果が調べられています。最近のメタ分析では、ヨガにより、不安、抑うつ、苦痛、ストレスなど、心理学的な健康指標が有意に改善されることが示されました[312]。ヨガは、心理社会的機能に効果がある可能性が示された半面、身体組成、体の健康、筋力に対する有益性ははっきりしていません。がん生存者が得る利益を最大化するためには、ヨガと、有酸素運動、筋力トレーニングの組み合わせを考慮すべきであると考えられますが、さらに研究が必要です。

Q15 フィトケミカルとは何ですか？　フィトケミカルは、がんのリスクを下げるのですか？

A

「フィトケミカル」とは、植物に含まれる、生理活性を持つ様々な化合物のことです。フィトケミカルの一部には、植物中、あるいはそれを摂取した人の体内で、抗酸化作用やホルモン様の作用を示すものがあります[17]。フィトケミカルや、野菜・果物など特定の植物性の食品が、がんの再発や進行にどのような効果があるかを調べた研究は非常に限られています。また、これまでの知見も不一致で、ごく少数の研究に基づいています。フィトケミカルをサプリメントとして摂取した場合、それらが抽出された元の野菜、果物、豆類、穀物類と同等に有益であることを示す科学的根拠はありません。

大豆製品

Q16 大豆製品を食事に取り入れることは、がん生存者に推奨されますか？

A

大豆や大豆由来食品は、たんぱく質の優れた供給源であるため、肉類の代わりになる食物として優れています。大豆には様々なフィトケミカルが含まれており、そのうちのいくつかには弱いエストロゲン活性があり、動物実験では、ホルモン依存性のがんを予防する可能性が示されています。大豆食品に含まれる他の化合物には抗酸化活性があり、抗がん作用を示す可能性が考えられます。がん全般、特に、乳がんの予防という点で、大豆食品が果たす役割については、一般的にも科学的にも高い関心が寄せられていますが、その役割を支持する科学的根拠は不一致です[313]～[316]。

乳がん生存者では、現在の科学的根拠によると、大豆や大豆食品を摂取することによって、再発や生存期間に悪影響が生じないことが示されており、また、これらの食品は、タモキシフェンとの相乗効果を発揮する可能性が指摘されています。[208]

糖分

Q17 糖分によってがんは増殖しますか？

A 糖分摂取によるがんリスクの上昇やがんの進行などの、直接的な作用は示されていません。けれども、糖分（ハチミツ、粗糖、ブラウンシュガー、高果糖コーンシロップ、糖蜜を含む）や、これらの糖分の主な供給源となる飲料（ソフトドリンクや、様々なフルーツ味の飲み物）を摂取すると、食事のカロリー量が大きく増えてしまうため、体重増加を促進する可能性があり、このことががんの経過に悪影響を与えると考えられます。さらに、加糖量が多い食物や飲料の多くは、様々な栄養素の供給源とはならず、多くの場合、より栄養価の高い食事の代わりに摂取されることになります。したがって、加糖された食品や飲料の摂取を制限することが勧められます。

サプリメント（栄養素補給剤）

Q18 がん生存者は、ビタミンやミネラルのサプリメントを使用することで利益が得られますか？

A がん生存者は、必要な栄養素をサプリメントからではなく、食物から摂取するよう強く推奨されます。特定の栄養素が欠乏している場合（臨床検査により確認された場合や、骨粗鬆症や骨減少症などが臨床的に認められる場合）に、サプリメントが使用される場合がありますが、通常量を超える栄養素の摂取は悪影響をおよぼすことを報告する論文が増えてきている状況を考えると[161][317]、サプリメントは有益ではなく有害となる可能性が懸念されます。

AQ19

サプリメントによって、がんの発生率や再発率を低下させることができますか？

現時点では、サプリメントによって、がんの再発リスクの低下や、生存率の改善を示す科学的根拠は存在しません。

野菜と果物

AQ20

野菜や果物を食べると、がん再発リスクが低下しますか？

野菜や果物を多く摂取することが、肺がん、口腔がん、食道がん、胃がん、結腸がんの発症リスク低下に関連していることが、多数の疫学研究で示されています。(47)(318) 野菜の摂取量が増えると、乳がん、前立腺がん、卵巣がんの再発や生存に有益な可能性を示す研究が最近いくつかあるものの、(140)(141) 野菜や果物を多く含む食事が、がんの再発リスクを低下させることや、生存率を改善させることを示した研究は、ほとんどありません。がん生存者は、健康上の利益を得るため、２０１０年に発行された「アメリカ人のための食生活指針（Dietary Guidelines for Americans）」[46]に従い、１日に最低２〜３盛りの野菜と、１・５〜２盛りの果物を摂取することが勧められます。野菜や果物に含まれる多くの成分のうち、どれががんの予防効果に最も優れているのかは分かっていないため、最善のアドバイスとしては、毎日、様々な種類の色のついた野菜や果物をたくさん摂取することと言えるでしょう。

Q21 野菜や果物が、生、冷凍、缶詰の状態では、それぞれ栄養価は異なるのですか？

A はい。けれども、入手しやすさ、価格、調理のしやすさによって、これらすべてが良い選択肢となりえます。生の野菜や果物は、一般に、最も栄養価が高いと考えられています。けれども、冷凍食品の方が、栄養価に優れていることも多くあります。これは、冷凍食品の場合、野菜や果物が完全に熟してから収穫され、その後すぐに冷凍されるためと考えられています。生の野菜や果物の栄養素は、収穫してから摂取されるまでの間に失われることもあります。缶詰は、その製造過程で高温処理を行う必要があるため、熱に弱く水溶性の栄養素の量が減少する可能性があります。[319] 缶詰の果物は、とても甘いシロップに漬けられている場合があることや、缶詰の野菜は、高濃度の塩分に漬けられている場合があることに注意しましょう。冷凍や缶詰の野菜や果物は、時期によって、生の野菜や果物より安価となる場合があります。

AQ22

野菜の栄養価は調理法による影響を受けますか？

野菜や果物を加熱するときは、多量の水でゆがくよりも、電子レンジ加熱や蒸すことで、水溶性栄養素の量を維持し、他の栄養素の吸収を改善することができます。たとえばカロテノイドは、生の野菜より、加熱した野菜からの方が、より吸収されやすくなります。

Q23 野菜や果物はジュースにするべきですか？

A

ジュースにすると、食事の種類が豊富になり、とくに噛むことや飲み込むことが困難な人が野菜や果物を摂取するためには良い手段です。また、ジュースにすることで、野菜や果物に含まれる一部の栄養素の体内での吸収が改善します。しかし、ジュースにすると、野菜や果物をまるごと食べる時よりも満腹感が得られにくく、食物繊維の摂取量も少なくなります。また、果物ジュースを多量に摂取すると、食事に過剰なカロリーを加えることにもなります。市販のジュース製品を選択する場合は、野菜や果汁１００％のもので、有害な微生物を除去するために低温殺菌処理されたものを選びましょう。これは一般集団にも言えることですが、抗がん剤治療を受けているがん患者など、免疫機能が悪化している可能性がある人は、特に注意が必要です。

ヴェジタリアン食

Q24 ヴェジタリアン食はがん再発リスクを低下させますか？

A 野菜、果物、全粒穀物を多く含み、赤肉が少ない通常の食事よりも、ヴェジタリアン食を摂取する方が、がん再発を抑制する効果が大きくなることを示した臨床試験はこれまでありません。しかし、ヴェジタリアン食は、飽和脂肪酸が少なく、食物繊維、ビタミン類、フィトケミカルを多く含むので、[320] 多くの健康的な特徴があり、「がん予防のための栄養と運動に関する米国対がん協会ガイドライン」にも沿うものです。

水およびその他の水分

Q25 水やその他の水分はどれくらい飲むべきですか？

A

倦怠感、立ちくらみ、口腔乾燥、口内の不快な味、悪心など、多くの症状は、脱水により生じる可能性があります。したがって、がん生存者は、適切に水分補給することが推奨されます。このことは特に、嘔吐や下痢によって水分を喪失した人にとって大切なことです。合併症がない場合、一般的な成人の水分所要量を満たす摂取量は、1日あたり男性で3・7リットル、女性で2・7リットルが妥当です。[321]通常、水分の約20%は、食事から得られるものです。水分摂取が困難な場合は、医師に相談して点滴による水分補給を検討すべきでしょう。

参考文献

1. Centers for Disease Control and Prevention (CDC). Cancer survivors–United States, 2007. MMWR Morb MortalWkly Rep. 2011; 60:269-272.

2. Howlader N, Noone A, Krapcho M, et al, eds. SEER Cancer Statistics Review, 1975- 2008. Bethesda, MD: National Cancer Institute; 2011.

3. Jones LW, Demark-Wahnefried W. Diet, exercise, and complementary therapies after primary treatment for cancer. Lancet Oncol. 2006;7:1017-1026.

4. Siegel R, Naishadham D, Jemal A. Cancer statistics, 2012. CA Cancer J Clin. 2012;62: 10-29.

5. Doyle C, Kushi LH, Byers T, et al; 2006 Nutrition, Physical Activity and Cancer Survivorship Advisory Committee; American Cancer Society. Nutrition and physical activity during and after cancer treatment: an American Cancer Society guide for informed choices. CA Cancer J Clin. 2006; 56:323-353.

6. Jones LW, Courneya KS, Fairey AS, Mackey JR. Effects of an oncologist's recommendation to exercise on self-reported exercise behavior in newly diagnosed breast cancer survivors: a single-blind, randomized controlled trial. Ann Behav Med. 2004;28:105-113.

7. Pekmezi DW, Demark-Wahnefried W. Updated evidence in support of diet and exercise interventions in cancer survivors. Acta Oncol. 2011;50:167-178.

8. Chlebowski RT, Aiello E, McTiernan A. Weight loss in breast cancer patient management. J Clin Oncol. 2002;20:1128-1143.

9. Schattner M, Shike M. Nutrition support of the patient with cancer. In: Shils ME, Shike M, Ross AC, Cabellero B, Cousins RJ, eds. Modern Nutrition in Health and Disease. 10th ed. Philadelphia, PA: Lippincott Williams & Wilkins; 2006:1290-1313.

10. Fearon K, Strasser F, Anker SD, et al. Definition and classification of cancer cachexia: an international consensus. Lancet Oncol. 2011;12:489-495.

11. Blum D, Omlin A, Baracos VE, et al; European Palliative Care Research Collaborative. Cancer cachexia: a systematic literature review of items and domains associated with involuntary weight loss in cancer. Crit Rev Oncol Hematol. 2011;80:114-144.

12. McMahon K, Brown JK. Nutritional screening and assessment. Semin Oncol Nurs. 2000;16:106-112.

13. Ravasco P, Monteiro-Grillo I, Vidal PM, Camilo ME. Dietary counseling improves patient outcomes: a prospective, randomized, controlled trial in colorectal cancer patients undergoing radiotherapy. J Clin Oncol. 2005;23:1431-1438.

14. Rock CL. Dietary counseling is beneficial for the patient with cancer. J Clin Oncol. 2005;23:1348-1349.

15. McGough C, Baldwin C, Frost G, Andreyev HJ. Role of nutritional intervention in patients treated with radiotherapy for pelvic malignancy. Br J Cancer. 2004;90: 2278-2287.

16. Ornish D, Weidner G, FairWR, et al. Intensive lifestyle changes may affect the progression of prostate cancer. J Urol. 2005; 174:1065-1069; discussion 1069-1070.

17. Monsen ER. Dietary Reference Intakes for the antioxidant nutrients: vitamin C, vitamin E, selenium, and carotenoids. J Am Diet Assoc. 2000;100:637-640.

18. National Research Council. Dietary Reference Intakes for Calcium and Vitamin D. Washington, DC: National Academies Press; 2010.

19. Panel on Macronutrients, Panel on the Definition of Dietary Fiber, Subcommittee on Upper Reference Levels of Nutrients, Subcommittee on Interpretation and Uses of Dietary Reference Intakes, Standing Committee on the Scientific Evaluation of Dietary Reference Intakes, Food and Nutrition Board. Dietary Reference Intakes for Energy, Carbohydrate,

Fiber, Fat, Fatty Acids, Cholesterol, Protein, and Amino Acids. Washington, DC: The National Academies Press; 2002.

20. National Research Council. Dietary Reference Intakes for Thiamin, Riboflavin, Niacin, Vitamin B6, Folate, Vitamin B12, Panothenic Acid, Biotin, and Choline. Washington, DC: The National Academies Press; 1998.

21. National Research Council. Dietary Reference Intakes for Vitamin C, Vitamin E, Selenium, and Carotenoids. Washington, DC: The National Academies Press; 2000.

22. Lawenda BD, Kelly KM, Ladas EJ, Sagar SM, Vickers A, Blumberg JB. Should supplemental antioxidant administration be avoided during chemotherapy and radiation therapy? J Natl Cancer Inst. 2008;100: 773-783.

23. Prasad KN, Kumar A, Kochupillai V, Cole WC. High doses of multiple antioxidant vitamins: essential ingredients in improving the efficacy of standard cancer therapy. J Am Coll Nutr. 1999;18:13-25.

24. Greenlee H, White E, Patterson RE, Kristal AR; Vitamins and Lifestyle (VITAL) Study Cohort. Supplement use among cancer survivors in the Vitamins and Lifestyle (VITAL) study cohort. J Altern Complement Med. 2004;10:660-666.

25. Miller MF, Bellizzi KM, Sufian M, Ambs AH, Goldstein MS, Ballard-Barbash R. Dietary supplement use in individuals living with cancer and other chronic conditions: a population-based study. J Am Diet Assoc. 2008;108:483-494.

26. Galvao DA, Taaffe DR, Spry N, Joseph D, Newton RU. Combined resistance and aerobic exercise program reverses muscle loss in men undergoing androgen suppression therapy for prostate cancer without bone metastases: a randomized controlled trial. J Clin Oncol. 2010;28:340-347.

27. Speck RM, Courneya KS, Masse LC, Duval S, Schmitz KH. An update of controlled physical activity trials in cancer survivors: a systematic review and meta-analysis. J Cancer Surviv. 2010;4:87-100.

28. Schmitz KH, Courneya KS, Matthews C, et al; American College of Sports Medicine. American College of Sports Medicine roundtable on exercise guidelines for cancer survivors. Med Sci Sports Exerc. 2010; 42:1409-1426.

29. Courneya KS, Segal RJ, Mackey JR, et al. Effects of aerobic and resistance exercise in breast cancer patients receiving adjuvant chemotherapy: a multicenter randomized controlled trial. J Clin Oncol. 2007;25: 4396-4404.

30. Courneya KS, Sellar CM, Stevinson C, et al. Randomized controlled trial of the effects of aerobic exercise on physical functioning and quality of life in lymphoma patients. J Clin Oncol. 2009;27: 4605-4612.

31. Jones LW, Eves ND, Courneya KS, et al. Effects of exercise training on antitumor efficacy of doxorubicin in MDA-MB-231 breast cancer xenografts. Clin Cancer Res. 2005;11:6695-6698.

32. Dahn JR, Penedo FJ, Molton I, Lopez L, Schneiderman N, Antoni MH. Physical activity and sexual functioning after radiotherapy for prostate cancer: beneficial effects for patients undergoing external beam radiotherapy. Urology. 2005;65:953-958.

33. Winters-Stone KM, Dobek J, Nail L, et al. Strength training stops bone loss and builds muscle in postmenopausal breast cancer survivors: a randomized, controlled trial. Breast Cancer Res Treat. 2011;127:447-456.

34. Schwartz AL, Winters-Stone K. Effects of a 12-month randomized controlled trial of aerobic or resistance exercise during and following cancer treatment in women. Phys Sportsmed. 2009;37:62-67.

35. Mutrie N, Campbell AM, Whyte F, et al. Benefits of supervised group exercise programme for women being treated for early stage breast cancer: pragmatic randomised controlled trial. BMJ. 2007;334:517.

36. Dolan LB, Gelmon K, Courneya KS, et al. Hemoglobin and aerobic fitness changes with supervised exercise training in breast cancer patients receiving chemotherapy. Cancer Epidemiol Biomarkers Prev. 2010; 19:2826-2832.

37. Sunga AY, Eberl MM, Oeffinger KC, Hudson MM, Mahoney MC. Care of cancer survivors. Am Fam Physician. 2005;71: 699-706.

38. Oeffinger KC, Hudson MM. Long-term complications following childhood and adolescent cancer: foundations for providing risk-based health care for survivors. CA Cancer J Clin. 2004;54:208-236.

39. Ewertz M, Jensen AB. Late effects of breast cancer treatment and potentials for rehabilitation. Acta Oncol. 2011;50:187-193.

40. Grosvenor M, Bulcavage L, Chlebowski RT. Symptoms potentially influencing weight loss in a cancer population. Correlations with primary site, nutritional status, and chemotherapy administration. Cancer. 1989;63:330-334.

41. Deitel M, To TB. Major intestinal complications of radiotherapy. Management and nutrition. Arch Surg. 1987;122:1421-1424.

42. Ottery FD. Definition of standardized nutritional assessment and interventional pathways in oncology. Nutrition. 1996; 12(suppl 1):S15-S19.

43. Von Roenn J. Pharmacologic interventions for cancer-related weight loss. Oncology Issues. 2002;17:18-21.

44. Coward DD. Supporting health promotion in adults with cancer. Fam Community Health. 2006;29(suppl 1):52S-60S.

45. Ng AK, Travis LB. Second primary cancers: an overview. Hematol Oncol Clin North Am. 2008;22:271-289, vii.

46. US Department of Agriculture and US Department of Health and Human Services. Dietary Guidelines for Americans, 2010. 7th ed. Washington, DC: US Government Printing Office; 2010.

47. World Cancer Research Fund/American Institute for Cancer Research. Food, Nutrition, Physical Activity, and the Prevention of Cancer: A Global Perspective. Washington, DC: AICR; 2007.

48. World Health Organization/Food and Agriculture Organization of the United Nations. Diet, Nutrition and the Prevention of Chronic Diseases: Report of a Joint WHO/FAO Expert Consultation. Technical Report Series 916. Geneva, Switzerland: World Health Organization; 2003.

49. American Heart Association Nutrition Committee, Lichtenstein AH, Appel LJ, et al. Diet and lifestyle recommendations revision 2006: a scientific statement from the American Heart Association Nutrition Committee. Circulation. 2006;114:82-96.

50. August DA. Nutrition and cancer: where are we going? Top Clin Nutr. 2003;18: 268-279.

51. Eyre H, Kahn R, Robertson RM; ACS/ADA/AHA Collaborative Writing Committee. Preventing cancer, cardiovascular disease, and diabetes: a common agenda for the American Cancer Society, the American Diabetes Association, and the American Heart Association. CA Cancer J Clin. 2004;54:190-207.

52. Kushi LH, Doyle C, McCullough M, et al. American Cancer Society Guidelines on Nutrition and Physical Activity for cancer prevention: reducing the risk of cancer with

healthy food choices and physical activity.CA Cancer J Clin. 2012;62:30-67.

53. Protani M, Coory M, Martin JH. Effect of obesity on survival of women with breast cancer: systematic review and meta-analysis. Breast Cancer Res Treat. 2010;123:627-635.

54. Patterson RE, Cadmus LA, Emond JA, Pierce JP. Physical activity, diet, adiposity and female breast cancer prognosis: a review of the epidemiologic literature. Maturitas. 2010;66:5-15.

55. Vanio H, Bianchini F. IARC Handbooks of Cancer Prevention. Vol 6. Weight Control and Physical Activity. Lyon, France: International Agency for Research on Cancer; 2002.

56. Freedland SJ, Grubb KA, Yiu SK, et al. Obesity and risk of biochemical progression following radical prostatectomy at a tertiary care referral center. J Urol. 2005; 174:919-922.

57. Amling CL. The association between obesity and the progression of prostate and renal cell carcinoma. Urol Oncol. 2004;22:478-484.

58. Capuano G, Gentile PC, Bianciardi F, Tosti M, Palladino A, Di Palma M. Prevalence and influence of malnutrition on quality of life and performance status in patients with locally advanced head and neck cancer before treatment. Support Care Cancer. 2010;18:433-437.

59. Gupta D, Lis CG, Granick J, Grutsch JF, Vashi PG, Lammersfeld CA. Malnutrition was associated with poor quality of life in colorectal cancer: a retrospective analysis. J Clin Epidemiol. 2006;59:704-709.

60. Hopkinson JB, Wright DN, Foster C. Management of weight loss and anorexia. Ann Oncol. 2008;19(suppl 7):vii289-vii293.

61. Ravasco P, Monteiro-Grillo I, Vidal PM, Camilo ME. Cancer: disease and nutrition are key determinants of patients' quality of life. Support Care Cancer. 2004;12:246-252.

62. Ibrahim EM, Al-Homaidh A. Physical activity and survival after breast cancer diagnosis: meta-analysis of published studies. Med Oncol. 2011;28:753-765.

63. Meyerhardt JA, Ma J, Courneya KS. Energetics in colorectal and prostate cancer. J Clin Oncol. 2010;28:4066-4073.

64. Moorman PG, Jones LW, Akushevich L, Schildkraut JM. Recreational physical activity and ovarian cancer risk and survival. Ann Epidemiol. 2011;21:178-187.

65. Kenfield SA, Stampfer MJ, Giovannucci E, Chan JM. Physical activity and survival after prostate cancer diagnosis in the health professionals follow-up study. J Clin Oncol. 2011;29:726-732.

66. National Comprehensive Cancer Network. NCCN Palliative Care Guidelines. Fort Washington, PA: National Comprehensive Cancer Network; 2011. http://www.nccn. org/professionals/physician_gls/pdf/pallia tive.pdf. [Access to NCCN guidelines is restricted to members.]

67. August DA, Huhmann MB; American Society for Parenteral and Enteral Nutrition (A.S.P.E.N.) Board of Directors. A.S.P.E.N. clinical guidelines: nutrition support therapy during adult anticancer treatment and in hematopoietic cell transplantation. JPEN J Parenter Enteral Nutr. 2009;33:472-500.

68. Mirtallo J, Canada T, Johnson D, et al; Task Force for the Revision of Safe Practices for Parenteral Nutrition. Safe practices for parenteral nutrition. JPEN J Parenter Enteral Nutr. 2004;28:S39-S70.

69. American Dietetic Association. Ethical and legal issues in nutrition, hydration and feeding. J Am Diet Assoc. 2008;108: 873-882.

70. Lowe SS, Watanabe SM, Courneya KS. Physical activity as a supportive care intervention

in palliative cancer patients: a systematic review. J Support Oncol. 2009;7: 27-34.

71. Beaton R, Pagdin-Friesen W, Robertson C, Vigar C, Watson H, Harris SR. Effects of exercise intervention on persons with metastatic cancer: a systematic review. Physiother Can. 2009;61:141-153.

72. Centers for Disease Control and Prevention. Overweight and Obesity. Atlanta, GA: Centers for Disease Control and Prevention; 2011. http://www.cdc.gov/obesity/. Accessed March 23, 2012.

73. Norat T, Chan D, Lau R, Vieira R. The Associations Between Food, Nutrition and Physical Activity and the Risk of Breast Cancer. World Cancer Research Fund/ American Institute for Cancer Research Systematic Literature Review Continuous Update Project Report. London: World Cancer Research Fund/American Institute for Cancer Research; 2008.

74. Norat T, Chan D, Lau R, Aune D, Vieira R. The Associations Between Food, Nutrition and Physical Activity and the Risk of Colorectal Cancer. London: World Cancer Research Fund/ American Institute for Cancer Research; 2010.

75. Aune D, Greenwood DC, Chan DS, et al. Body mass index, abdominal fatness and pancreatic cancer risk: a systematic review and non-linear dose-response meta-analysis of prospective studies [published online ahead of print October 3, 2011]. Ann Oncol.

76. McTiernan A, Irwin M, Vongruenigen V. Weight, physical activity, diet, and prognosis in breast and gynecologic cancers. J Clin Oncol. 2010;28:4074-4080.

77. Wright ME, Chang SC, Schatzkin A, et al. Prospective study of adiposity and weight change in relation to prostate cancer incidence and mortality. Cancer. 2007;109: 675-684.

78. Vrieling A, Kampman E. The role of body mass index, physical activity, and diet in colorectal cancer recurrence and survival: a review of the literature. Am J Clin Nutr. 2010;92:471-490.

79. Irwin ML, Mayne ST. Impact of nutrition and exercise on cancer survival. Cancer J. 2008;14:435-441.

80. Siegel EM, Ulrich CM, Poole EM, Holmes RS, Jacobsen PB, Shibata D. The effects of obesity and obesity-related conditions on colorectal cancer prognosis. Cancer Control. 2010;17:52-57.

81. Efstathiou JA, Bae K, Shipley WU, et al. Obesity and mortality in men with locally advanced prostate cancer: analysis of RTOG 85-31. Cancer. 2007;110:2691-2699.

82. Vance V, Mourtzakis M, McCargar L, Hanning R. Weight gain in breast cancer survivors: prevalence, pattern and health consequences. Obes Rev. 2011;12:282-294.

83. Jiang W, Zhu Z, Thompson HJ. Effects of physical activity and restricted energy intake on chemically induced mammary carcinogenesis. Cancer Prev Res (Phila). 2009;2:338-344.

84. Pollak M. Do cancer cells care if their host is hungry? Cell Metab. 2009;9:401-403.

85. Vona-Davis L, Rose DP. Angiogenesis, adipokines and breast cancer. Cytokine Growth Factor Rev. 2009;20:193-201.

86. Kroenke CH, Chen WY, Rosner B, Holmes MD. Weight, weight gain, and survival after breast cancer diagnosis. J Clin Oncol. 2005;23:1370-1378.

87. Nichols HB, Trentham-Dietz A, Egan KM, et al. Body mass index before and after breast cancer diagnosis: associations with all-cause, breast cancer, and cardiovascular disease mortality. Cancer Epidemiol Biomarkers Prev. 2009;18:1403-1409.

88. Thivat E, Therondel S, Lapirot O, et al. Weight change during chemotherapy changes the prognosis in non metastatic breast cancer for the worse. BMC Cancer. 2010;10:648.

89. Meyerhardt JA, Niedzwiecki D, Hollis D, et al; Cancer and Leukemia Group B 89803.

Impact of body mass index and weight change after treatment on cancer recurrence and survival in patients with stage III colon cancer: findings from Cancer and Leukemia Group B 89803. J Clin Oncol. 2008;26:4109-4115.

90. Look AHEAD Research Group, Wing RR. Long-term effects of a lifestyle intervention on weight and cardiovascular risk factors in individuals with type 2 diabetes mellitus: four-year results of the Look AHEAD trial. Arch Intern Med. 2010;170: 1566-1575.

91. Chlebowski RT, Blackburn GL, Thomson CA, et al. Dietary fat reduction and breast cancer outcome: interim efficacy results from the Women's Intervention Nutrition Study. J Natl Cancer Inst. 2006;98:1767-1776.

92. Miller ME, Kral JG. Surgery for obesity in older women. Menopause Int. 2008;14: 155-162.

93. Jen KL, Djuric Z, DiLaura NM, et al. Improvement of metabolism among obese breast cancer survivors in differing weight loss regimens. Obes Res. 2004;12:306-312.

94. Ligibel JA, Campbell N, Partridge A, et al. Impact of a mixed strength and endurance exercise intervention on insulin levels in breast cancer survivors. J Clin Oncol. 2008;26:907-912.

95. Morey MC, Snyder DC, Sloane R, et al. Effects of home-based diet and exercise on functional outcomes among older, overweight long-term cancer survivors: RENEW: a randomized controlled trial. JAMA. 2009;301:1883-1891.

96. Demark-Wahnefried W, Case LD, Blackwell K, et al. Results of a diet/exercise feasibility trial to prevent adverse body composition change in breast cancer patients on adjuvant chemotherapy. Clin Breast Cancer. 2008;8:70-79.

97. Seagle HM, Strain GW, Makris A, Reeves RS, American Dietetic Association. Position of the American Dietetic Association: weight management. J Am Diet Assoc. 2009;109:330-346.

98. Rock CL, Demark-Wahnefried W. Nutrition and survival after the diagnosis of breast cancer: a review of the evidence. J Clin Oncol. 2002;20:3302-3316.

99. Centers for Disease Control and Prevention. Healthy Weight–it's not a diet, it's a lifestyle! Atlanta, GA: Centers for Disease Control and Prevention; 2011. http:// www.cdc.gov/healthyweight/losing_weight/ index.html. Accessed February 12, 2012.

100. National Heart, Lung, and Blood Institute. Aim for a Healthy Weight! Bethesda, MD: National Heart, Lung, and Blood Institute; 2011. http://www.nhlbi.nih.gov/health/ public/heart/obesity/lose_wt/index.htm. Accessed February 26, 2012.

101. Smith JL, Malinauskas BM, Garner KJ, Barber-Heidal K. Factors contributing to weight loss, nutrition-related concerns and advice received by adults undergoing cancer treatment. Adv Med Sci. 2008;53: 198-204.

102. Courneya KS. Exercise in cancer survivors: an overview of research. Med Sci Sports Exerc. 2003;35:1846-1852.

103. Holmes MD, Chen WY, Feskanich D, Kroenke CH, Colditz GA. Physical activity and survival after breast cancer diagnosis. JAMA. 2005;293:2479-2486.

104. Meyerhardt JA, Giovannucci EL, Ogino S, et al. Physical activity and male colorectal cancer survival. Arch Intern Med. 2009; 169:2102-2108.

105. Meyerhardt JA, Heseltine D, Niedzwiecki D, et al. Impact of physical activity on cancer recurrence and survival in patients with stage III colon cancer: findings from CALGB 89803. J Clin Oncol. 2006;24: 3535-3541.

106. Meyerhardt JA, Giovannucci EL, Holmes MD, et al. Physical activity and survival after colorectal cancer diagnosis. J Clin Oncol. 2006;24:3527-3534.

107. Haydon AM, Macinnis RJ, English DR, Giles GG. Effect of physical activity and body size on survival after diagnosis with colorectal cancer. Gut. 2006;55:62-67.

108. Courneya KS, Booth CM, Gill S, et al. The Colon Health and Life-Long Exercise Change trial: a randomized trial of the National Cancer Institute of Canada Clinical Trials Group. Curr Oncol. 2008;15: 279-285.

109. Ferrer RA, Huedo-Medina TB, Johnson BT, Ryan S, Pescatello LS. Exercise interventions for cancer survivors: a meta-analysis of quality of life outcomes. Ann Behav Med. 2011;41:32-47.

110. Brown JC, Huedo-Medina TB, Pescatello LS, Pescatello SM, Ferrer RA, Johnson BT. Efficacy of exercise interventions in modulating cancer-related fatigue among adult cancer survivors: a meta-analysis. Cancer Epidemiol Biomarkers Prev. 2011; 20:123-133.

111. Schmitz KH, Ahmed RL, Troxel A, et al. Weight lifting in women with breastcancer-related lymphedema. N Engl J Med. 2009;361:664-673.

112. Schmitz KH, Ahmed RL, Troxel AB, et al. Weight lifting for women at risk for breast cancer-related lymphedema: a randomized trial. JAMA. 2010;304:2699-2705.

113. US Department of Health and Human Services. Physical Activity and Health: A Report of the Surgeon General. Atlanta, GA: US Department of Health and Human Services; 1996.

114. US Department of Health and Human Services. Physical Activity Guidelines for Americans. Washington, DC: US Department of Health and Human Services; 2008.

115. Courneya K, Karvinen K, Vallance JK. Exercise motivation and behavior change. In: Feuerstein M, ed. Handbook of Cancer Survivorship. New York: Springer Science-Business Media LLC; 2007:113-132.

116. Pinto BM, Ciccolo JT. Physical activity motivation and cancer survivorship. Recent Results Cancer Res. 2011;186:367-387.

117. White SM, McAuley E, Estabrooks PA, Courneya KS. Translating physical activity interventions for breast cancer survivors into practice: an evaluation of randomized controlled trials. Ann Behav Med. 2009; 37:10-19.

118. US Department of Health and Human Services. Be Active Your Way: A Fact Sheet for Adults. Washington, DC: US Department of Health and Human Services; 2008. http:// www.health.gov/ PAGuidelines/factSheetAdults.aspx. Accessed February 21, 2012.

119. Norman SA, Potashnik SL, GalantinoML, De Michele AM, House L, Localio AR. Modifiable risk factors for breast cancer recurrence: what can we tell survivors? J Womens Health (Larchmt). 2007;16:177-190.

120. Kroenke CH, Fung TT, Hu FB, Holmes MD. Dietary patterns and survival after breast cancer diagnosis. J Clin Oncol. 2005;23:9295-9303.

121. Kwan ML, Weltzien E, Kushi LH, Castillo A, Slattery ML, Caan BJ. Dietary patterns and breast cancer recurrence and survival among women with early-stage breast cancer. J Clin Oncol. 2009;27:919-926.

122. Pierce JP, Natarajan L, Caan BJ, et al. Influence of a diet very high in vegetables, fruit, and fiber and low in fat on prognosis following treatment for breast cancer: the Women's Healthy Eating and Living (WHEL) randomized trial. JAMA. 2007; 298:289-298.

123. Meyerhardt JA, Niedzwiecki D, Hollis D, et al. Association of dietary patterns with cancer recurrence and survival in patients with stage III colon cancer. JAMA. 2007; 298:754-764.

124. National Research Council. Dietary Reference Intakes for Energy, Carbohydrate, Fiber, Fat, Fatty Acids, Cholesterol, Protein, and Amino Acids (Macronutrients). Washington, DC: The National Academies Press; 2002.

125. McEligot AJ, Largent J, Ziogas A, Peel D, Anton-Culver H. Dietary fat, fiber, vegetable, and micronutrients are associated with overall survival in postmenopausal women diagnosed with breast cancer. Nutr Cancer. 2006;55:132-140.

126. Beasley JM, Newcomb PA, Trentham- Dietz A, et al. Post-diagnosis dietary factors and survival after invasive breast cancer. Breast Cancer Res Treat. 2011;128: 229-236.

127. Goodwin PJ, Ennis M, Pritchard KI, Koo J, Trudeau ME, Hood N. Diet and breast cancer: evidence that extremes in diet are associated with poor survival. J Clin Oncol. 2003;21:2500-2507.

128. Gold EB, Pierce JP, Natarajan L, et al. Dietary pattern influences breast cancer prognosis in women without hot flashes: the women's healthy eating and living trial. J Clin Oncol. 2009;27:352-359.

129. Kim DJ, Gallagher RP, Hislop TG, et al. Premorbid diet in relation to survival from prostate cancer (Canada). Cancer Causes Control. 2000;11:65-77.

130. Fradet Y, Meyer F, Bairati I, Shadmani R, Moore L. Dietary fat and prostate cancer progression and survival. Eur Urol. 1999; 35:388-391.

131. Gogos CA, Ginopoulos P, Salsa B, Apostolidou E, Zoumbos NC, Kalfarentzos F. Dietary omega-3 polyunsaturated fatty acids plus vitamin E restore immunodeficiency and prolong survival for severely ill patients with generalized malignancy: a randomized control trial. Cancer. 1998;82: 395-402.

132. Hardman WE. (n-3) fatty acids and cancer therapy. J Nutr. 2004;134(suppl 12): 3427S-3430S.

133. MacLean CH, Newberry SJ, Mojica WA, et al. Effects of Omega-3 Fatty Acids on Cancer. Summary. Evidence Report/Technology Assessment No. 113; AHRQ Pub. No. 05-E010-2. Rockville, MD: Agency for Healthcare Research and Quality; 2005.

134. Slavin J. Why whole grains are protective: biological mechanisms. Proc Nutr Soc. 2003;62:129-134.

135. Tohill BC, Seymour J, Serdula M, Kettel- Khan L, Rolls BJ. What epidemiologic studies tell us about the relationship between fruit and vegetable consumption and body weight. Nutr Rev. 2004;62:365-374.

136. Rock CL. Diet and breast cancer: can dietary factors influence survival? J Mammary Gland Biol Neoplasia. 2003;8:119-132.

137. Rock CL, Natarajan L, PuM, et al;Women's Healthy Eating and Living Study Group. Longitudinal biological exposure to carotenoids is associated with breast cancer-free survival in the Women's Healthy Eating and Living Study. Cancer Epidemiol Biomarkers Prev. 2009;18:486-494.

138. Thomson CA, Alberts DS. Diet and survival after ovarian cancer: where are we and what's next? J Am Diet Assoc. 2010; 110:366-368.

139. Dolecek TA, McCarthy BJ, Joslin CE, et al. Prediagnosis food patterns are associated with length of survival from epithelial ovarian cancer. J Am Diet Assoc. 2010; 110:369-382.

140. Nagle CM, Purdie DM, Webb PM, Green A, Harvey PW, Bain CJ. Dietary influences on survival after ovarian cancer. Int J Cancer. 2003;106:264-269.

141. Chan JM, Holick CN, Leitzmann MF, et al. Diet after diagnosis and the risk of prostate cancer progression, recurrence, and death (United States). Cancer Causes Control. 2006;17:199-208.

142. Gahche J, Bailey R, Burt V, et al. Dietary Supplement Use Among US Adults Has Increased Since NHANES III (1988-1994). NCHS Data Brief, No. 61. Hyattsville, MD:

National Center for Health Statistics; 2011.

143. Velicer CM, Ulrich CM. Vitamin and mineral supplement use among US adults after cancer diagnosis: a systematic review. J Clin Oncol. 2008;26:665-673.

144. Reedy J, Haines PS, Steckler A, Campbell MK. Qualitative comparison of dietary choices and dietary supplement use among older adults with and without a history of colorectal cancer. J Nutr Educ Behav. 2005;37:252-258.

145. Yates JS, Mustian KM, Morrow GR, et al. Prevalence of complementary and alternative medicine use in cancer patients during treatment. Support Care Cancer. 2005;13:806-811.

146. Davies AA, Davey Smith G, Harbord R, et al. Nutritional interventions and outcome in patients with cancer or preinvasive lesions: systematic review. J Natl Cancer Inst. 2006;98:961-973.

147. Pocobelli G, Peters U, Kristal AR, White E. Use of supplements of multivitamins, vitamin C, and vitamin E in relation to mortality. Am J Epidemiol. 2009;170:472-483.

148. Saquib J, Rock CL, Natarajan L, et al. Dietary intake, supplement use, and survival among women diagnosed with early-stage breast cancer. Nutr Cancer. 2011;63: 327-333.

149. Kwan ML, Greenlee H, Lee VS, et al. Multivitamin use and breast cancer outcomes in women with early-stage breast cancer: the Life After Cancer Epidemiology study. Breast Cancer Res Treat. 2011;130:195-205.

150. Ng K, Meyerhardt JA, Chan JA, et al. Multivitamin use is not associated with cancer recurrence or survival in patients with stage III colon cancer: findings from CALGB 89803. J Clin Oncol. 2010;28: 4354-4363.

151. Baron JA, Cole BF, Mott L, et al. Neoplastic and antineoplastic effects of betacarotene on colorectal adenoma recurrence: results of a randomized trial. J Natl Cancer Inst. 2003;95:717-722.

152. Bairati I, Meyer F, Jobin E, et al. Antioxidant vitamins supplementation and mortality: a randomized trial in head and neck cancer patients. Int J Cancer. 2006;119: 2221-2224.

153. Klein EA, Thompson IM Jr, Tangen CM, et al. Vitamin E and the risk of prostate cancer: the Selenium and Vitamin E Cancer Prevention Trial (SELECT). JAMA. 2011;306:1549-1556.

154. Neuhouser ML, Sorensen B, Hollis BW, et al. Vitamin D insufficiency in a multiethnic cohort of breast cancer survivors. Am J Clin Nutr. 2008;88:133-139.

155. Jacobs ET, Thomson CA, Flatt SW, et al. Vitamin D and breast cancer recurrence in the Women's Healthy Eating and Living (WHEL) Study. Am J Clin Nutr. 2011;93: 108-117.

156. Ng K, Meyerhardt JA, Wu K, et al. Circulating 25-hydroxyvitamin d levels and survival in patients with colorectal cancer. J Clin Oncol. 2008;26:2984-2991.

157. Ng K, Wolpin BM,Meyerhardt JA, et al. Prospective study of predictors of vitamin D status and survival in patients with colorectal cancer. Br J Cancer. 2009;101:916-923.

158. Buttigliero C, Monagheddu C, Petroni P, et al. Prognostic role of vitamin d status and efficacy of vitamin D supplementation in cancer patients: a systematic review. Oncologist. 2011;16:1215-1227.

159. Lawson KA, Wright ME, Subar A, et al. Multivitamin use and risk of prostate cancer in the National Institutes of Health- AARP Diet and Health Study. J Natl Cancer Inst. 2007;99:754-764.

160. Chan AL, Leung HW, Wang SF. Multivitamin supplement use and risk of breast cancer: a meta-analysis. Ann Pharmacother. 2011;45:476-484.

161. Park SY, Murphy SP, Wilkens LR, Henderson BE, Kolonel LN. Multivitamin use and the

risk of mortality and cancer incidence: the multiethnic cohort study. Am J Epidemiol. 2011;173:906-914.

162. Bjelakovic G, Nikolova D, Gluud LL, Simonetti RG, Gluud C. Mortality in randomized trials of antioxidant supplements for primary and secondary prevention: systematic review and meta-analysis. JAMA. 2007;297:842-857.

163. Hewitt M, Greenfield S, Stovall E, eds. From Cancer Patient to Cancer Survivor: Lost in Transition. Washington, DC: Committee on Cancer Survivorship: Improving Care and Quality of Life, National Cancer Policy Board, Institute of Medicine, and National Research Council of the National Academies: The National Academies Press; 2006.

164. Monti DA, Yang J. Complementary medicine in chronic cancer care. Semin Oncol. 2005;32:225-231.

165. Colditz GA, DeJong W, Hunter DJ, Trichopoulos D, Willett WC. Harvard Report on Cancer Prevention. Vol 1. Causes of Human Cancer. Cancer Causes Control. 1996;7(suppl):S3-59.

166. Rimm E. Alcohol and cardiovascular disease. Curr Atheroscler Rep. 2000;2:529-535.

167. O'Keefe JH, Bybee KA, Lavie CJ. Alcohol and cardiovascular health: the razor-sharp double-edged sword. J Am Coll Cardiol. 2007;50:1009-1014.

168. Barrera S, Demark-Wahnefried W. Nutrition during and after cancer therapy. Oncology (Williston Park). 2009;23(2 suppl Nurse Ed):15-21.

169. Bellizzi KM, Rowland JH, Jeffery DD, McNeel T. Health behaviors of cancer survivors: examining opportunities for cancer control intervention. J Clin Oncol. 2005; 23:8884-8893.

170. Smith-Warner SA, Spiegelman D, Yaun SS, et al. Alcohol and breast cancer in women: a pooled analysis of cohort studies. JAMA. 1998;279:535-540.

171. Nielsen SF, Nordestgaard BG, Bojesen SE. Associations between first and second primary cancers: a population-based study. CMAJ. 2012;184:E57-E69.

172. Fortin A, Wang CS, Vigneault E. Influence of smoking and alcohol drinking behaviors on treatment outcomes of patients with squamous cell carcinomas of the head and neck. Int J Radiat Oncol Biol Phys. 2009;74:1062-1069.

173. Reding KW, Daling JR, Doody DR, O'Brien CA, Porter PL, Malone KE. Effect of prediagnostic alcohol consumption on survival after breast cancer in young women. Cancer Epidemiol Biomarkers Prev. 2008;17:1988-1996.

174. Trentham-Dietz A, Newcomb PA, Nichols HB, Hampton JM. Breast cancer risk factors and second primary malignancies among women with breast cancer. Breast Cancer Res Treat. 2007;105:195-207.

175. Flatt SW, Thomson CA, Gold EB, et al. Low to moderate alcohol intake is not associated with increased mortality after breast cancer. Cancer Epidemiol Biomarkers Prev. 2010;19:681-688.

176. Kwan ML, Kushi LH, Weltzien E, et al. Alcohol consumption and breast cancer recurrence and survival among women with early-stage breast cancer: the life after cancer epidemiology study. J Clin Oncol. 2010;28:4410-4416.

177. Li CI, Daling JR, Porter PL, Tang MT, Malone KE. Relationship between potentially modifiable lifestyle factors and risk of second primary contralateral breast cancer among women diagnosed with estrogen receptor-positive invasive breast cancer. J Clin Oncol. 2009;27:5312-5318.

178. Moe G. Low-microbial diets for patients with granulocytopenia. In: Bloch AS, ed. Nutrition Management of the Cancer Patient. Rockville, MD: Aspen Publishers; 1990:125.

179. Carmichael AR, Bates T. Obesity and breast cancer: a review of the literature. Breast.

2004;13:85-92.

180. Loi S, Milne RL, Friedlander ML, et al. Obesity and outcomes in premenopausal and postmenopausal breast cancer. Cancer Epidemiol Biomarkers Prev. 2005;14:1686-1691.

181. Rose DP, Komninou D, Stephenson GD. Obesity, adipocytokines, and insulin resistance in breast cancer. Obes Rev. 2004; 5:153-165.

182. Enger SM, Bernstein L. Exercise activity, body size and premenopausal breast cancer survival. Br J Cancer. 2004;90:2138-2141.

183. Stephenson GD, Rose DP. Breast cancer and obesity: an update. Nutr Cancer. 2003; 45:1 16.

184. Healy LA, Ryan AM, Carroll P, et al. Metabolic syndrome, central obesity and insulin resistance are associated with adverse pathological features in postmenopausal breast cancer. Clin Oncol (R Coll Radiol). 2010;22:281-288.

185. Caan BJ, Kwan ML, Hartzell G, et al. Prediagnosis body mass index, post-diagnosis weight change, and prognosis among women with early stage breast cancer. Cancer Causes Control. 2008;19:1319-1328.

186. Paskett ED. Breast cancer-related lymphedema: attention to a significant problem resulting from cancer diagnosis. J Clin Oncol. 2008;26:5666-5667.

187. Caan B, Sternfeld B, Gunderson E, Coates A, Quesenberry C, Slattery ML. Life After Cancer Epidemiology (LACE) Study: a cohort of early stage breast cancer survivors (United States). Cancer Causes Control. 2005;16:545-556.

188. Herman DR, Ganz PA, Petersen L, Greendale GA. Obesity and cardiovascular risk factors in younger breast cancer survivors: The Cancer and Menopause Study (CAMS). Breast Cancer Res Treat. 2005; 93:13-23.

189. Harvie MN, Campbell IT, Baildam A, Howell A. Energy balance in early breast cancer patients receiving adjuvant chemotherapy. Breast Cancer Res Treat. 2004;83: 201-210.

190. Caan BJ, Emond JA, Natarajan L, et al. Post-diagnosis weight gain and breast cancer recurrence in women with early stage breast cancer. Breast Cancer Res Treat. 2006;99:47-57.

191. Marinho LA, Rettori O, Vieira-Matos AN. Body weight loss as an indicator of breast cancer recurrence. Acta Oncol. 2001;40: 832-837.

192. McTiernan A. Obesity and cancer: the risks, science, and potential management strategies. Oncology (Williston Park). 2005;19:871-881.

193. Aslani A, Smith RC, Allen BJ, Pavlakis N, Levi JA. Changes in body composition during breast cancer chemotherapy with the CMF-regimen. Breast Cancer Res Treat. 1999;57:285-290.

194. Cheney CL, Mahloch J, Freeny P. Computerized tomography assessment of women with weight changes associated with adjuvant treatment for breast cancer. Am J Clin Nutr. 1997;66:141-146.

195. Demark-Wahnefried W, Hars V, Conaway MR, et al. Reduced rates of metabolism and decreased physical activity in breast cancer patients receiving adjuvant chemotherapy. Am J Clin Nutr. 1997;65:1495-1501.

196. Demark-Wahnefried W, Peterson BL, Winer EP, et al. Changes in weight, body composition, and factors influencing energy balance among premenopausal breast cancer patients receiving adjuvant chemotherapy. J ClinOncol. 2001;19:2381-2389.

197. Harvie MN, Howell A, Thatcher N, Baildam A, Campbell I. Energy balance in patients with advanced NSCLC, metastatic melanoma and metastatic breast cancer receiving

chemotherapy–a longitudinal study. Br J Cancer. 2005;92:673-680.

198. Freedman RJ, Aziz N, Albanes D, et al. Weight and body composition changes during and after adjuvant chemotherapy in women with breast cancer. J Clin Endocrinol Metab. 2004;89:2248-2253.

199. Schmitz KH, Ahmed RL, Hannan PJ, Yee D. Safety and efficacy of weight training in recent breast cancer survivors to alter body composition, insulin, and insulin-like growth factor axis proteins. Cancer Epidemiol Biomarkers Prev. 2005;14:1672-1680.

200. Byers T, Sedjo RL. Does intentional weight loss reduce cancer risk? Diabetes Obes Metab. 2011;13:1063-1072.

201. McNeely ML, Campbell KL, Rowe BH, Klassen TP, Mackey JR, Courneya KS. Effects of exercise on breast cancer patients and survivors: a systematic review and metaanalysis. CMAJ. 2006;175:34-41.

202. Smith-Warner SA, Spiegelman D, Adami HO, et al. Types of dietary fat and breast cancer: a pooled analysis of cohort studies. Int J Cancer. 2001;92:767-774.

203. Kushi L, Giovannucci E. Dietary fat and cancer. Am J Med. 2002;113(suppl 9B): 63S-70S.

204. Gandini S, Merzenich H, Robertson C, Boyle P. Meta-analysis of studies on breast cancer risk and diet: the role of fruit and vegetable consumption and the intake of associated micronutrients. Eur J Cancer. 2000;36:636-646.

205. Smith-Warner SA, Spiegelman D, Yaun SS, et al. Intake of fruits and vegetables and risk of breast cancer: a pooled analysis of cohort studies. JAMA. 2001;285: 769-776.

206. Pierce JP, Newman VA, Flatt SW, et al; Women's Healthy Eating and Living (WHEL) Study Group. Telephone counseling intervention increases intakes of micronutrient- and phytochemical-rich vegetables, fruit and fiber in breast cancer survivors. J Nutr. 2004;134:452-458.

207. Rock CL, Flatt SW, Laughlin GA, et al; Women's Healthy Eating and Living Study Group. Reproductive steroid hormones and recurrence-free survival in women with a history of breast cancer. Cancer Epidemiol Biomarkers Prev. 2008;17:614-620.

208. Caan BJ, Natarajan L, Parker B, et al. Soy food consumption and breast cancer prognosis. Cancer Epidemiol Biomarkers Prev. 2011;20:854-858.

209. Shu XO, Zheng Y, Cai H, et al. Soy food intake and breast cancer survival. JAMA. 2009;302:2437-2443.

210. Guha N, Kwan ML, Quesenberry CP Jr, Weltzien EK, Castillo AL, Caan BJ. Soy isoflavones and risk of cancer recurrence in a cohort of breast cancer survivors: the Life After Cancer Epidemiology study. Breast Cancer Res Treat. 2009;118:395-405.

211. Brown BW, Brauner C, Minnotte MC. Noncancer deaths in white adult cancer patients. J Natl Cancer Inst. 1993;85:979-987.

212. Howard BV, Van Horn L, Hsia J, et al. Lowfat dietary pattern and risk of cardiovascular disease: the Women's Health Initiative Randomized Controlled Dietary Modification Trial. JAMA. 2006;295:655-666.

213. Giovannucci E. Diet, body weight, and colorectal cancer: a summary of the epidemiologic evidence. J Womens Health (Larchmt). 2003;12:173-182.

214. Ryan-Harshman M, Aldoori W. Diet and colorectal cancer: review of the evidence. Can Fam Physician. 2007;53:1913-1920.

215. Blanchard CM, Courneya KS, Stein K; American Cancer Society's SCS II. Cancer survivors' adherence to lifestyle behavior recommendations and associations with health-related quality of life: results from the American Cancer Society's SCS-II. J Clin Oncol.

2008;26:2198-2204.

216. Courneya KS, Friedenreich CM. Relationship between exercise pattern across the cancer experience and current quality of life in colorectal cancer survivors. J Altern Complement Med. 1997;3:215-226.

217. Courneya KS, Friedenreich CM. Physical exercise and quality of life following cancer diagnosis: a literature review. Ann Behav Med. 1999;21:171-179.

218. Johnson BL, Trentham-Dietz A, Koltyn KF, Colbert LH. Physical activity and function in older, long-term colorectal cancer survivors. Cancer Causes Control. 2009;20: 775-784.

219. Lynch BM, Cerin E, Owen N, Aitken JF. Associations of leisure time physical activity with quality of life in a large, population-based sample of colorectal cancer survivors. Cancer Causes Control. 2007;18:735-742.

220. Peddle CJ, Au HJ, Courneya KS. Associations between exercise, quality of life, and fatigue in colorectal cancer survivors. Dis Colon Rectum. 2008;51:1242-1248.

221. Courneya KS, Friedenreich CM, Quinney HA, Fields AL, Jones LW, Fairey AS. A randomized trial of exercise and quality of life in colorectal cancer survivors. Eur J Cancer Care (Engl). 2003;12:347-357.

222. Haydon AM, Macinnis RJ, English DR, Morris H, Giles GG. Physical activity, insulin-like growth factor 1, insulin-like growth factor binding protein 3, and survival from colorectal cancer. Gut. 2006;55: 689-694.

223. Meyerhardt JA, Catalano PJ, Haller DG, et al. Influence of body mass index on outcomes and treatment-related toxicity in patients with colon carcinoma. Cancer. 2003;98:484-495.

224. Meyerhardt JA, Tepper JE, Niedzwiecki D, et al. Impact of body mass index on outcomes and treatment-related toxicity in patients with stage II and III rectal cancer: findings from Intergroup Trial 0114. J Clin Oncol. 2004;22:648-657.

225. Dignam JJ, Polite BN, Yothers G, et al. Body mass index and outcomes in patients who receive adjuvant chemotherapy for colon cancer. J Natl Cancer Inst. 2006;98: 1647-1654.

226. Campbell PT, Newton CC, Dehal AN, Jacobs EJ, Patel AV, Gapstur SM. Impact of body mass index on survival after colorectal cancer diagnosis: the Cancer Prevention Study-II Nutrition Cohort. J Clin Oncol. 2012;30:42-52.

227. Giovannucci E. Epidemiological evidence for vitamin D and colorectal cancer. J Bone Miner Res. 2007;22(suppl 2):V81-V85.

228. Byers T. What can randomized controlled trials tell us about nutrition and cancer prevention? CA Cancer J Clin. 1999;49: 353-361.

229. Figueiredo JC, Mott LA, Giovannucci E, et al. Folic acid and prevention of colorectal adenomas: a combined analysis of randomized clinical trials. Int J Cancer. 2011;129:192-203.

230. Cole BF, Baron JA, Sandler RS, et al; Polyp Prevention Study Group. Folic acid for the prevention of colorectal adenomas: a randomized clinical trial. JAMA. 2007; 297:2351-2359.

231. Baron JA, Beach M, Mandel JS, et al. Calcium supplements for the prevention of colorectal adenomas. Calcium Polyp Prevention Study Group. N Engl J Med. 1999; 340:101-107.

232. DeVita VT, Hellman S, Rosenberg SA. Cancer: Principles & Practice of Oncology. 6th ed. Philadelphia: Lippincott Williams and Wilkins; 2001.

233. Fader AN, Arriba LN, Frasure HE, von Gruenigen VE. Endometrial cancer and obesity: epidemiology, biomarkers, prevention and survivorship. Gynecol Oncol. 2009;114:121-127.

234. Calle EE, Rodriguez C, Walker-Thurmond K, Thun MJ. Overweight, obesity, and mortality

from cancer in a prospectively studied cohort of U.S. adults. N Engl J Med. 2003;348:1625-1638.

235. von Gruenigen VE, Tian C, Frasure H, Waggoner S, Keys H, Barakat RR. Treatment effects, disease recurrence, and survival in obese women with early endometrial carcinoma: a Gynecologic Oncology Group study. Cancer. 2006;107: 2786-2791.

236. Anderson B, Connor JP, Andrews JI, et al. Obesity and prognosis in endometrial cancer. Am J Obstet Gynecol. 1996;174: 1171-1178; discussion 1178-1179.

237. Munstedt K, Wagner M, Kullmer U, Hackethal A, Franke FE. Influence of body mass index on prognosis in gynecological malignancies. Cancer Causes Control. 2008;19:909-916.

238. Jeong NH, Lee JM, Lee JK, et al. Role of body mass index as a risk and prognostic factor of endometrioid uterine cancer in Korean women. Gynecol Oncol. 2010;118: 24-28.

239. Gates EJ, Hirschfield L, Matthews RP, Yap OW. Body mass index as a prognostic factor in endometrioid adenocarcinoma of the endometrium. J Natl Med Assoc. 2006; 98:1814-1822.

240. Basen-Engquist K, Scruggs S, Jhingran A, et al. Physical activity and obesity in endometrial cancer survivors: associations with pain, fatigue, and physical functioning. Am J Obstet Gynecol. 2009;200:288.e1-288.e8.

241. Courneya KS, Karvinen KH, Campbell KL, et al. Associations among exercise, body weight, and quality of life in a populationbased sample of endometrial cancer survivors. Gynecol Oncol. 2005;97:422-430.

242. Bandera EV, Kushi LH, Rodriguez-Rodriguez L. Nutritional factors in ovarian cancer survival. Nutr Cancer. 2009;61:580-586.

243. Zhang M, Lee AH, Binns CW, Xie X. Green tea consumption enhances survival of epithelial ovarian cancer. Int J Cancer. 2004; 112:465-469.

244. Yang L, Klint A, Lambe M, et al. Predictors of ovarian cancer survival: a populationbased prospective study in Sweden. Int J Cancer. 2008;123:672-679.

245. Stevinson C, Capstick V, Schepansky A, et al. Physical activity preferences of ovarian cancer survivors. Psychooncology. 2009;18:422-428.

246. Modesitt SC, van Nagell JR Jr. The impact of obesity on the incidence and treatment of gynecologic cancers: a review. Obstet Gynecol Surv. 2005;60:683-692.

247. Reeves GK, Pirie K, Beral V, Green J, Spencer E, Bull D; Million Women Study Collaboration. Cancer incidence and mortality in relation to body mass index in the Million Women Study: cohort study. BMJ. 2007;335:1134.

248. Hess LM, Barakat R, Tian C, Ozols RF, Alberts DS. Weight change during chemotherapy as a potential prognostic factor for stage III epithelial ovarian carcinoma: a Gynecologic Oncology Group study. Gynecol Oncol. 2007;107:260-265.

249. Meloni G, Proia A, Capria S, et al. Obesity and autologous stem cell transplantation in acute myeloid leukemia. Bone Marrow Transplant. 2001;28:365-367.

250. Liu RD, Chinapaw MJ, Huijgens PC, van Mechelen W. Physical exercise interventions in haematological cancer patients, feasible to conduct but effectiveness to be established: a systematic literature review. Cancer Treat Rev. 2009;35: 185-192.

251. Wolin KY, Ruiz JR, Tuchman H, Lucia A. Exercise in adult and pediatric hematological cancer survivors: an intervention review. Leukemia. 2010;24:1113-1120.

252. Weisdorf SA, Lysne J, Wind D, et al. Positive effect of prophylactic total parenteral nutrition on long-term outcome of bone marrow transplantation. Transplantation. 1987;43:833-838.

253. Lenssen P, Sherry ME, Cheney CL, et al. Prevalence of nutrition-related problems among long-term survivors of allogeneic marrow transplantation. J Am Diet Assoc. 1990;90:835-842.

254. Rowe JM, Ciobanu N, Ascensao J, et al. Recommended guidelines for the management of autologous and allogeneic bone marrow transplantation. A report from the Eastern Cooperative Oncology Group (ECOG). Ann InternMed. 1994;120:143-158.

255. Lipkin AC, Lenssen P, Dickson BJ. Nutrition issues in hematopoietic stem cell transplantation: state of the art. Nutr Clin Pract. 2005;20:423-439.

256. Murray SM, Pindoria S. Nutrition support for bone marrow transplant patients. Cochrane Database Syst Rev. 2002;(2): CD002920.

257. Brown JK. A systematic review of the evidence on symptom management of cancer- related anorexia and cachexia. Oncol Nurs Forum. 2002;29:517-532.

258. Granger CL, McDonald CF, Berney S, Chao C, Denehy L. Exercise intervention to improve exercise capacity and health related quality of life for patients with non-small cell lung cancer: a systematic review. Lung Cancer. 2011;72:139-153.

259. Clark LC, Combs GF Jr, Turnbull BW, et al. Effects of selenium supplementation for cancer prevention in patients with carcinoma of the skin. A randomized controlled trial. Nutritional Prevention of Cancer Study Group. JAMA. 1996;276: 1957-1963.

260. Zhou W, Heist RS, Liu G, et al. Circulating 25-hydroxyvitamin D levels predict survival in early-stage non-small-cell lung cancer patients. J Clin Oncol. 2007;25: 479-485.

261. Sun AS, Ostadal O, Ryznar V, et al. Phase I/II study of stage III and IV non-small cell lung cancer patients taking a specific dietary supplement. Nutr Cancer. 1999;34: 62-69.

262. Sun AS, Yeh HC, Wang LH, et al. Pilot study of a specific dietary supplement in tumor-bearing mice and in stage IIIB and IV non-small cell lung cancer patients. Nutr Cancer. 2001;39:85-95.

263. Evans WK, Nixon DW, Daly JM, et al. A randomized study of oral nutritional support versus ad lib nutritional intake during chemotherapy for advanced colorectal and non-small-cell lung cancer. J Clin Oncol. 1987;5:113-124.

264. Ovesen L, Allingstrup L, Hannibal J, Mortensen EL, Hansen OP. Effect of dietary counseling on food intake, body weight, response rate, survival, and quality of life in cancer patients undergoing chemotherapy: a prospective, randomized study. J Clin Oncol. 1993;11:2043-2049.

265. Ovesen L, Allingstrup L. Different quantities of two commercial liquid diets consumed by weight-losing cancer patients. JPEN J Parenter Enteral Nutr. 1992;16: 275-278.

266. Kolonel LN, Nomura AM, Cooney RV. Dietary fat and prostate cancer: current status. J Natl Cancer Inst. 1999;91:414-428.

267. Cohen JH, Kristal AR, Stanford JL. Fruit and vegetable intakes and prostate cancer risk. J Natl Cancer Inst. 2000;92:61-68.

268. Freedland SJ, Platz EA. Obesity and prostate cancer: making sense out of apparently conflicting data. Epidemiol Rev. 2007;29:88-97.

269. Meyer F, Bairati I, Shadmani R, Fradet Y, Moore L. Dietary fat and prostate cancer survival. Cancer Causes Control. 1999;10: 245-251.

270. Heymach JV, Shackleford TJ, Tran HT, et al. Effect of low-fat diets on plasma levels of NF-jB-regulated inflammatory cytokines and angiogenic factors in men with prostate cancer. Cancer Prev Res (Phila). 2011;4:1590-1598.

271. Demark-Wahnefried W, Polascik TJ, George SL, et al. Flaxseed supplementation (not

dietary fat restriction) reduces prostate cancer proliferation rates in men presurgery. Cancer Epidemiol Biomarkers Prev. 2008;17:3577-3587.

272. Fang F, Kasperzyk JL, Shui I, et al. Prediagnostic plasma vitamin D metabolites and mortality among patients with prostate cancer. PLoS One. 2011;6:e18625.

273. Giovannucci E, Liu Y, Stampfer MJ, Willett WC. A prospective study of calcium intake and incident and fatal prostate cancer. Cancer Epidemiol Biomarkers Prev. 2006;15:203-210.

274. Beer TM, Eilers KM, Garzotto M, Egorin MJ, Lowe BA, Henner WD. Weekly highdose calcitriol and docetaxel in metastatic androgen-independent prostate cancer. J Clin Oncol. 2003;21:123-128.

275. Beer TM, Lemmon D, Lowe BA, Henner WD. High-dose weekly oral calcitriol in patients with a rising PSA after prostatectomy or radiation for prostate carcinoma. Cancer. 2003;97:1217-1224.

276. The effect of vitamin E and beta carotene on the incidence of lung cancer and other cancers in male smokers. The Alpha-Tocopherol, Beta Carotene Cancer Prevention Study Group. N Engl J Med. 1994;330: 1029-1035.

277. Heinonen OP, Albanes D, Virtamo J, et al. Prostate cancer and supplementation with alpha-tocopherol and beta-carotene: incidence and mortality in a controlled trial. J Natl Cancer Inst. 1998;90:440-446.

278. Lippman SM, Klein EA, Goodman PJ, et al. Effect of selenium and vitamin E on risk of prostate cancer and other cancers: the Selenium and Vitamin E Cancer Prevention Trial (SELECT). JAMA. 2009;301: 39-51.

279. Clark LC, Dalkin B, Krongrad A, et al. Decreased incidence of prostate cancer with selenium supplementation: results of a double-blind cancer prevention trial. Br J Urol. 1998;81:730-734.

280. Ma J, Li H, Giovannucci E, et al. Prediagnostic body-mass index, plasma C-peptide concentration, and prostate cancer-specific mortality in men with prostate cancer: a long-term survival analysis. Lancet Oncol. 2008;9:1039-1047.

281. Joshu CE, Mondul AM, Menke A, et al. Weight gain is associated with an increased risk of prostate cancer recurrence after prostatectomy in the PSA era. Cancer Prev Res (Phila). 2011;4:544-551.

282. Thorsen L, Courneya KS, Stevinson C, Fossa SD. A systematic review of physical activity in prostate cancer survivors: outcomes, prevalence, and determinants. Support Care Cancer. 2008;16:987-997.

283. Segal RJ, Reid RD, Courneya KS, et al. Randomized controlled trial of resistance or aerobic exercise in men receiving radiation therapy for prostate cancer. J Clin Oncol. 2009;27:344-351.

284. Mayne ST, Cartmel B, Baum M, et al. Randomized trial of supplemental betacarotene to prevent second head and neck cancer. Cancer Res. 2001;61:1457-1463.

285. Campbell BH, Spinelli K, Marbella AM, Myers KB, Kuhn JC, Layde PM. Aspiration, weight loss, and quality of life in head and neck cancer survivors. Arch Otolaryngol Head Neck Surg. 2004;130:1100-1103.

286. Rademaker AW, Vonesh EF, Logemann JA, et al. Eating ability in head and neck cancer patients after treatment with chemoradiation: a 12-month follow-up study accounting for dropout. Head Neck. 2003; 25:1034-1041.

287. Gabor S, Renner H, Matzi V, et al. Early enteral feeding compared with parenteral nutrition after oesophageal or oesophagogastric resection and reconstruction. Br J Nutr. 2005;93:509-513.

288. McNeely ML, Parliament M, Courneya KS, et al. A pilot study of a randomized controlled trial to evaluate the effects of progressive resistance exercise training on shoulder dysfunction caused by spinal accessory neurapraxia/ neurectomy in head and neck cancer survivors. Head Neck. 2004;26:518-530.

289. McNeely ML, Parliament MB, Seikaly H, et al. Effect of exercise on upper extremity pain and dysfunction in head and neck cancer survivors: a randomized controlled trial. Cancer. 2008;113:214-222.

290. Rogers LQ, Courneya KS, Robbins KT, et al. Physical activity and quality of life in head and neck cancer survivors. Support Care Cancer. 2006;14:1012-1019.

291. Bauer J, Capra S, Battistutta D, Davidson W, Ash S; Cancer Cachexia Study Group. Compliance with nutrition prescription improves outcomes in patients with unresectable pancreatic cancer. Clin Nutr. 2005;24:998-1004.

292. Barber MD. Cancer cachexia and its treatment with fish-oil-enriched nutritional supplementation. Nutrition. 2001;17:751-755.

293. Bruera E, Strasser F, Palmer JL, et al. Effect of fish oil on appetite and other symptoms in patients with advanced cancer and anorexia/cachexia: a doubleblind, placebo-controlled study. J Clin Oncol. 2003;21:129-134.

294. Moses AW, Slater C, Preston T, Barber MD, Fearon KC. Reduced total energy expenditure and physical activity in cachectic patients with pancreatic cancer can be modulated by an energy and protein dense oral supplement enriched with n-3 fatty acids. Br J Cancer. 2004;90:996-1002.

295. Cawley MM, Benson LM. Current trends in managing oral mucositis. Clin J Oncol Nurs. 2005;9:584-592.

296. Willett WC. Micronutrients and cancer risk. Am J Clin Nutr. 1994;59(suppl 5): 1162S-1165S.

297. Meyskens FL Jr, Szabo E. Diet and cancer: the disconnect between epidemiology and randomized clinical trials. Cancer Epidemiol Biomarkers Prev. 2005;14:1366-1369.

298. NIH State-of-the-Science Panel. National Institutes of Health State-of-the-science conference statement: multivitamin/mineral supplements and chronic disease prevention. Ann Intern Med. 2006;145:364-371.

299. National Research Council. Dietary Reference Intakes: The Essential Guide to Nutrient Requirements. Washington, DC: The National Academies Press; 2006.

300. Labriola D, Livingston R. Possible interactions between dietary antioxidants and chemotherapy. Oncology (Williston Park). 1999; 13:1003-1008.

301. Lamson DW, Brignall MS. Antioxidants in cancer therapy; their actions and interactions with oncologic therapies. Altern Med Rev. 1999;4:304-329.

302. D'Andrea GM. Use of antioxidants during chemotherapy and radiotherapy should be avoided. CA Cancer J Clin. 2005;55:319-321.

303. Kucuk O, Ottery F. Dietary supplements during cancer treatment. Oncology Issues. 2002;17(suppl.):22-30.

304. Weiger WA, Smith M, Boon H, Richardson MA, Kaptchuk TJ, Eisenberg DM. Advising patients who seek complementary and alternative medical therapies for cancer. Ann Intern Med. 2002;137:889-903.

305. Kolonel LN. Fat, meat, and prostate cancer. Epidemiol Rev. 2001;23:72-81.

306. Clinical guidelines on the identification, evaluation, and treatment of overweight and obesity in adults: executive summary. Expert Panel on the Identification, Evaluation, and

Treatment of Overweight in Adults. Am J Clin Nutr. 1998;68:899-917.

307. Basch E, Bent S, Collins J, et al; Natural Standard Resource Collaboration. Flax and flaxseed oil (Linum usitatissimum): a review by the Natural Standard Research Collaboration. J Soc IntegrOncol. 2007;5:92-105.

308. Thompson LU, Chen JM, Li T, Strasser- Weippl K, Goss PE. Dietary flaxseed alters tumor biological markers in postmenopausal breast cancer. Clin Cancer Res. 2005;11:3828-3835.

309. Kono S, Hirohata T. Nutrition and stomach cancer. Cancer Causes Control. 1996;7: 41-55.

310. Sandhu MS, White IR, McPherson K. Systematic review of the prospective cohort studies on meat consumption and colorectal cancer risk: a meta-analytical approach. Cancer Epidemiol Biomarkers Prev. 2001;10:439-446.

311. Norat T, Lukanova A, Ferrari P, Riboli E. Meat consumption and colorectal cancer risk: dose-response meta-analysis of epidemiological studies. Int J Cancer. 2002; 98:241-256.

312. Lin KY, Hu YT, Chang KJ, Lin HF, Tsauo JY. Effects of yoga on psychological health, quality of life, and physical health of patients with cancer: a meta-analysis [published online ahead of print March 9, 2011]. Evid Based Complement Alternat Med.

313. Messina MJ, Loprinzi CL. Soy for breast cancer survivors: a critical review of the literature. J Nutr. 2001;131(suppl 11): 3095S-3108S.

314. Kris-Etherton PM, Hecker KD, Bonanome A, et al. Bioactive compounds in foods: their role in the prevention of cardiovascular disease and cancer. Am J Med. 2002; 113(suppl 9B):71S-88S.

315. Peeters PH, Keinan-Boker L, van der Schouw YT, Grobbee DE. Phytoestrogens and breast cancer risk. Review of the epidemiological evidence. Breast Cancer Res Treat. 2003;77:171-183.

316. Petrakis NL, Barnes S, King EB, et al. Stimulatory influence of soy protein isolate on breast secretion in pre- and postmenopausal women. Cancer Epidemiol Biomarkers Prev. 1996;5:785-794.

317. Mursu J, Robien K, Harnack LJ, Park K, Jacobs DR Jr. Dietary supplements and mortality rate in older women: the Iowa Women's Health Study. Arch Intern Med. 2011;171:1625-1633.

318. International Agency for Research on Cancer. IARC Handbooks of Cancer Prevention. Vol. 8. Fruits and Vegetables. Lyon, France: International Agency for Research on Cancer; 2003.

319. Duyff RL; American Dietetic Association. Complete Food and Nutrition Guide. 4th ed. Hoboken, NJ: John Wiley & Sons, Inc; 2012.

320. Craig WJ, Mangels AR; American Dietetic Association. Position of the American Dietetic Association: vegetarian diets. J Am Diet Assoc. 2009;109:1266-1282.

321. Sawka MN, Cheuvront SN, Carter R 3rd. Human water needs. Nutr Rev. 2005;63(6 pt 2):S30-S39.

解説

坪野吉孝

1 はじめに

がんになり、初期の治療が一段落した後、どんな食事や生活をすればよいか。

がん体験者と家族の方々がかならず直面するこの問題について、最新の科学的根拠に基づくアドバイスを提供する。それが今回翻訳した論文「がん生存者のための栄養と運動のガイドライン」の目的です（Rock CL, et al. Nutrition and Physical Activity Guidelines for Cancer

Survivors. CA Cancer J Clin 2012; 62: 242-274.）。

米国対がん協会（American Cancer Society: ACS）が委員会を組織し、ガイドラインの第1版を２００１年（CA Cancer J Clin 2001; 51: 153-187.）、第2版を２００３年（CA Cancer J Clin 2003; 53: 268-291.）、第3版を２００６年（CA Cancer J Clin 2006; 56: 323-353.）に公表しました。今回の論文は第4版にあたり、２０１２年に同協会が発行する臨床医向けの専門誌『ＣＡ臨床医のためのがん専門誌』（CA: A Cancer Journal for Clinicians）の７／８月号に掲載されました。ガイドラインの第１版は、『「がん」になってからの食事療法―米国対がん協会の最新ガイド』（法研）として、２００２年に筆者訳で出版しました。

米国対がん協会は、民間の立場でがん対策に取り組む公益法人です。民間団体といっても、１９１３年創立で約１００年の歴史があり、９００を超える地方支部を擁し、２０１１年には６５０万件を超える個人や企業などからの募金を中心に9億５３５８万ドルの収入がある巨大な組織です。がんについての情報源としては、米国民からもっとも信頼されている団体のひとつです。

健康な人ががんになるのを予防する生活習慣についてのガイドラインは、以前からいくつかありました。けれども、すでにがんになった人を対象に、食事をはじめとする生活習慣のガイドラインが作られたのは、筆者の知る限り、同協会の２００１年の第１版が初めてです。第１版から11年後に公表された今回の第４版には、この間の最新の研究成果が反映されています。ガイドラインは、米国のがん体験者を念頭に作られていますが、日本のがん体験者と家族の方々にも役立つ部分が多いと思います。

以下では、本文をよりよく理解し活用するのに有用と思われる事項について、いくつか解説します。

2 がんの食事療法についての研究の現状

結論から言いましょう。現時点で、がんの再発率や生存率を改善することが科学的に十分確認されている食事療法はありません。ここで「科学的に十分確認されている」とは、「複数の臨床試験の総合評価で、有効性と安全性が示されている」という意味です。くわしくは後ほど説明しますが、「複数の臨床試験の総合評価」で有用性が示されているとは、「もっとも質の高い科学的根拠」で有用性が確認されていることを意味しています。

残念ながら、がんの食事療法のなかで、このレベルで有用性が示されているものはありません。医学の他分野をみると、たとえば「高血圧の患者に降圧薬を投与すれば、投与しない場合と比べて、脳卒中や心筋梗塞の発症リスクが下がる」ことを裏付ける、このレベルの科学的根拠があります。けれども、すべてのがんの食事療法は、このレベルより質の低い科学的根拠しかないのが現状です。

このレベルにもっとも近いのは、「早期乳がん患者が、低脂肪食を食べると、通常食を食べる場合と比べて、乳がん再発率や生存率が改善する」という仮説です。本文32ページでも紹介されていますが、大規模で長期間の臨床試験が2件報告されています。

　第１の研究は、２００６年12月に報告された米国の臨床試験です（JNCI 2006; 98: 1767-1776.）。「女性の栄養介入試験（Women's Intervention Nutrition Study）」、頭文字を取って「ＷＩＮＳ試験」と呼ばれています。この研究では、術後の早期乳がん患者２４３７人を、くじびきと同様の方法で（ランダムに）、食事療法群（低脂肪食で、総カロリーに占める脂肪の比率が15％未満になるよう目指す）と、比較群（一般的な食事指導）の、２グループに分けました。平均5年の追跡調査で、乳がんの再発率は食事療法群（９・８％）が比較群（12・４％）より低く、食事療法群の再発リスクが24％低くなるという結果でした。

　この研究は、がん患者の食事療法の効果を調べた大規模で長期間の臨床試験としては、世界で初めての報告です。この論文を読んだとき筆者は、ついに手術・放射線・抗がん剤などの通常のがん治療と同じような意味で、がんの食事療法について語れる時代が到来したと、大変感動し、また喜びました。

ところがその半年後の２００７年7月に、おなじ米国から報告された第2の臨床試験では、食事療法で乳がんの再発率は改善しないという結果でした（JAMA 2007; 298: 289-298.）。「女性の健康的な食事と生活のランダム化試験（The Women's Healthy Eating and Living Randomized Trial）、頭文字を取って「ＷＨＥＬ試験」と呼ばれています。この研究では、術後早期乳がん患者３０８８人を、くじびきと同様の方法で（ランダムに）、食事療法群（野菜・果物・食物繊維を増やし、総カロリーに占める脂肪の比率を15〜20％に減らすよう目指す）と比較群（食生活に関するパンフ配布）の2グループに分けました。平均7・3年の追跡調査で、乳がんの再発率は食事療法群（16・7％）と比較群（16・9％）で差がなく、総死亡率（10・1％対10・3％）も差がありませんでした。

　第1の臨床試験の公表からわずか半年後に、結果が一致しない第2の臨床試験が公表された時に、筆者はたいへん驚き、また残念に思いました。同時に、がんの食事療法の有効性を、きちんとした科学的方法で評価することのむずかしさを実感しました。

2件の臨床試験の結果の違いは、だいたい次のように考えられています。第1のWINS試験では、食事療法群は比較群と比べて、総カロリーに占める脂肪の比率が平均8・0%減っただけではなく、体重も2・7kg減りました。そのため、食事療法群での再発率の低下が、低脂肪食（総カロリーに占める脂肪の比率を下げること）じたいの効果なのか、それとも体重減少による効果なのか、区別することができません。いっぽう第2のWHEL試験では、食事療法群は比較群と比べ、総カロリーに占める脂肪の比率は平均3・5%しか下がらず、体重も0・4kgしか減りませんでした。そのため、食事療法じたいの、低脂肪や体重減少を実現する効果が不十分だった可能性があります。いずれにしても、大規模で長期間の臨床試験2件の結果が一致しない現状では、早期乳がんに対する低脂肪食による食事療法は、再発予防に「有望」とは言えますが「科学的に十分確認されている」とは言えません。

早期乳がんに対する低脂肪食以外の食事療法についても、いろいろな研究が行われています。けれども、裏付けになる科学的根拠は、より質の低い情報に留まっているのが現状です。そのため、特定の食事療法、食物、栄養素が、特定のがんの再発率や生存率を改善するか否かについては、「科学的に十分確認されている」とは言えません。つまり、「複数の臨床試験の総合評価で、有効性と安全性が示されている」わけではないのです。言い方を変えると、すべてがまだ「研究段階」の情報であり、科学的に十分確認された「実践段階」の情報には至っていないという状況です。

3 運動の有効性についての研究の進歩

これに対して、最近約10年間の研究の特徴として、運動ががん体験者の死亡率を改善する可能性を示すデータが増えています。代表例として、２０１２年6月に「米国国立がん研究所雑誌」（Journal of the National Cancer Institute）に報告された、追跡調査の総合評価の論文を紹介します（Ballard-Barbash R, et al. JNCI 2012; 104: 815-840.）。

研究グループは医学文献データベースを検索し、がん体験者の運動と死亡率との関係を調べた追跡調査を27件選び出しました。１件は１９９５年に報告されていますが、残りの26件は、すべて２０００年以降に報告されています。27件の追跡調査の対象者は、17件が乳がん、６件が大腸がん、４件が他のがん（前立腺、卵巣、脳腫瘍）の体験者でした。乳がんと大腸がんの研究が大半です。ちなみに、日本人が対象の研究は１件もありません。

　がんの部位別にみると、乳がん体験者の追跡調査17件のうち、運動により乳がん死亡率が高まるという研究は１件もありません。いっぽう、運動と乳がん死亡率に関係なしとする研究が４件、運動量が多いグループは少ないグループより、誤差範囲に留まる乳がん死亡率の低下があるという研究が７件、誤差範囲を超えた乳がん死亡率の低下（41～51％の低下）があるという研究が６件でした。

　乳がん体験者の追跡調査17件のうち、乳がん死亡率だけではなく、心臓病などを含めたすべての死因を合わせた死亡率（総死亡率）について報告した研究が14件ありました。運動と総死亡率に関係なしとする研究が2件、運動により誤差範囲に留まる総死亡率の低下があるという研究が5件、誤差範囲を超えた総死亡率の低下があるという研究が7件でした。

つぎに大腸がん体験者の追跡調査6件のうち、運動により誤差範囲に留まる大腸がん死亡率の低下があるという研究が2件、誤差範囲を超える低下があるという研究が3件（45〜61％の低下）、特定の遺伝子の発現の有無により低下がある場合とない場合があるという研究が1件でした。総死亡率については、誤差範囲に留まる低下があるという研究が2件、誤差範囲を超える低下があるという研究が4件（40〜63％の低下）でした。

こうした結果から著者らは、乳がんと大腸がんの体験者の追跡調査からは、運動により乳がん死亡率、大腸がん死亡率、総死亡率が低くなるという一致した証拠があると述べています。半面、乳がんと大腸がん以外のがんについては、研究の数が少ないこともあり、運動によって死亡率が下がるかどうかについては、証拠不十分だと述べています。

ところで、この論文で総合評価の対象になっているのは、「臨床試験」（ランダム化比較試験）ではなく「追跡調査」（前向きコホート研究）です。臨床試験の場合、研究者が、くじ引きと同様の方法でがん体験者を２グループに分け、一方のグループには積極的に運動療法を行い、他方のグループには行わず、２つのグループでがん死亡率や総死亡率を比べます。くじ引きと同様の方法でグループ分けを行うため、２つのグループの特徴（がんの進行度、治療法、肥満度など）は似通ったものになり、運動療法を行うか否かだけが異なる点になります。そのため、２つのグループで死亡率に差があれば、運動療法が原因でその差が生じたと考えやすくなります。要するに、情報の質がより高いわけです。

いっぽう追跡調査では、研究者が積極的に運動療法を行うわけではありません。がん体験者の日常の運動の状況を質問票などで調査し、運動量が多いグループと少ないグループに分けます。そのため、運動量の多いグループの方が少ないグループより、もともと早期のがんが多いなど、運動量以外の要因もグループ間で差があるのが普通です。運動量以外の要因の影響は、データ分析の段階で統計学的な手法を使って取り除く措置が取られます。けれどもこれは、あくまで統計学的な措置に留まるので、運動量以外の要因の影響が完全に取り除かれている保証はありません。そのため、かりに運動量の多いグループの方が少ないグループより死亡率が低いという結果が出たとしても、それが運動量の違いじたいに由来するのか、運動量の違い以外の要因も影響しているのかを、すっかり区別することはできません（運動量の多いグループは早期がんが多いので、運動量の大小にかかわらずもともと死亡率が低い可能性など）。要するに、追跡調査は、臨床試験より、情報の質がより低いわけです。

それなら追跡調査ではなく臨床試験の総合評価を行い、がんの運動療法が死亡率の改善に有効かどうかを評価すればよいと思われるでしょう。ところが意外なことに、この論文が公表された時点（今回の米国対がん協会のガイドラインが掲載された２０１２年７／８月の直前）では、がんの体験者に運動療法を行い、がん死亡率や総死亡率への効果を報告した臨床試験の論文は、１件もありませんでした。本文84ページにもすこし書かれていますが、カナダとオーストラリアの大腸がん体験者９６３人を対象とした臨床試験が２００９年に始められ進行中です。

　ところが、この研究に対する論評には、あえて「標準的がん治療としての運動」というタイトルがつけられています（JNCI 2012; 104: 797-799.）。論評を書いたハーバード大学の研究者は、運動療法によってがん体験者の死亡率が下がることを示した臨床試験がまだ報告されていないことを認めた上で、次のように述べています。「がんに対する運動の直接的な効果はまだ確実に証明されてはいないものの、運動は一般に安全で、がん患者の生活の質を高め、健康に対する他の効用が数多くあることを考えると、適切な運動はがん治療の標準的な一部となるべきである」。つまり、食事療法と同じように、運動が死亡率を改善する効果も、「複数の臨床試験の総合評価で有効性と安全性が示されている」という意味で「科学的に十分確認されている」わけではない。けれども、一部のがん体験者（骨転移のある場合など）を除けば、運動はおおむね安全で、生活の質を高めることに加えて、がん以外の病気（糖尿病や心臓病など）の予防になることがはっきり分かっている。そのため、現状の研究データをもとに、運動を「標準的がん治療」の一部に取り入れることが、理に適っていると論評は主張しているわけです。

4 今回のガイドラインの特徴

ここまで、がん体験者の食事と運動が、再発率・生存率・死亡率におよぼす影響について、最新の研究状況を紹介しました。こうした背景を理解すると、今回のガイドラインの特徴が、より深く分かるのではないかと思います。本文27ページのガイドラインのまとめを、もう一度図表1に示します。また、ガイドラインの中で言及されている「がん予防のための栄養と運動に関する米国対がん協会ガイドライン」を図表2に示します（CA Cancer J Clin. 2012; 62: 30-67.）。こちらは、がん生存者で

図表1　がん生存者の栄養と運動に関する米国対がん協会のガイドライン（2012年第4版）

健康的な体重を達成し維持しましょう。

- もし過体重や肥満の場合は、高カロリーの食物や飲料を制限し、減量するため運動量を増やしましょう。

定期的に運動しましょう。

- 運動不足を避け、診断後もなるべく早く通常の日常生活に戻るようにしましょう。
- 1週間に150分以上運動することを目標としましょう。
- 1週間のうち2日以上は筋力トレーニングを運動に含めましょう。

野菜、果物、全粒穀物が多い食事パターンにしましょう。

- 「*がん予防のための栄養と運動に関する米国対がん協会ガイドライン」に従いましょう。

CA Cancer J Clin 2012; 62: 242-274.

がん予防のための栄養と運動に関する米国対がん協会ガイドライン
173ページ参照

図表2　がん予防のための栄養と運動に関する米国対がん協会ガイドラインの概要（2012年）

個人の選択に対する米国対がん協会の勧告

・生涯を通じて、健康体重を達成し維持しましょう。

生涯を通じて、やせにならない範囲で、できるだけ体重を減らしましょう。

すべての年代で、過剰な体重増加を避けましょう。過体重や肥満の人にとって、すこしの体重減少であっても健康に有益であり、よい出発点となります。

健康体重を維持する手がかりとして、定期的に運動し、高カロリーの食物や飲み物の摂取を制限しましょう。

・運動をしましょう。

成人：1週間に中等度の運動を150分間、または、強度の運動を75分間（または両者の組み合わせ）を、できれば1週間を通して偏らないように行いましょう。

小児と青少年：毎日、中等度または強度の運動を1時間以上行い、強度の運動を1週間に3日以上行いましょう。

椅子に座る、寝転ぶ、テレビを観る、映画やコンピュータなどの画面を見る娯楽などの、非活動的な行動を少なくしましょう。

普段の運動量が高くても低くても、普段以上の運動を行うことで、多くの健康上の利益が期待できます。

（次ページに続く）

（図表２続き）

・植物性の食物に重点を置いた、健康的な食事を摂りましょう。

食物と飲み物を選ぶ際には、健康体重を達成し維持するのに役立つだけの量にしましょう。

加工肉や赤肉の摂取を少なくしましょう。

毎日 2.5 盛り以上の野菜と 2.5 盛り以上の果物を食べましょう。

精製穀物製品の代わりに全粒穀物を選びましょう。

・飲酒する場合は、量を制限しましょう。

女性は１日１ドリンク、男性は１日２ドリンクを限度としましょう。

地域社会の活動に関する米国対がん協会の勧告

公共団体、民間団体、地域社会は、国、州、地域の各レベルで、以下の政策や環境変化を実施するために協力して取り組む必要があります。

安価で健康的な食物を、地域社会、職場、学校で入手できる機会を増やし、栄養価の低い食物や飲み物を入手する機会や宣伝を減らす（とくに青少年）。

学校や職場で、安全で楽しく容易に運動できる環境を整えると共に、地域社会で、交通手段や余暇活動を容易にする環境を整える。

CA Cancer J Clin. 2012; 62: 30-67.

はなく、健康な人を対象に、がんになるのを予防する生活習慣や政策を提言したガイドラインです。

今回の第4版ガイドラインには、次のような特徴があります。

1　食事と体重についての助言だけではなく、運動についての助言もされている。2001年の第1版ガイドラインでは、食事と体重の助言はありましたが、運動についての助言はありませんでした。すでに説明したように、がん生存者にとっての運動の有用性を示す研究が、最近10年間で大幅に増えたことが背景にあります。実際、第1版のタイトルは、「がんの治療期間中と治療後の栄養：十分な情報にもとづいてがん生存者が選択するためのガイド」で、「栄養」（体重も含む）のみが挙げられていました。ところが今回の第4版のタイトルは、「がん生存者のための栄養と運動のガイドライン」で、「栄養」と「運動」の両方が挙げられています。

2 食事についての助言は、次のようにとてもシンプルです。

野菜、果物、全粒穀物が多い食事パターンにしましょう。

・「がん予防のための栄養と運動に関する米国対がん協会ガイドライン」に従いましょう。

健康な人ががんになるのを予防する「がん予防のための栄養と運動に関する米国対がん協会ガイドライン」（図表2）でも、食事についての助言は、次のようにシンプルです。

植物性の食物に重点を置いた、健康的な食事を取りましょう。

・食物と飲み物を選ぶ際には、健康体重を達成し維持するのに役立つだけの量にしましょう。

・加工肉や赤肉の摂取を少なくしましょう。

・毎日2・5盛り以上の野菜と2・5盛り以上の果物を食べましょう。

・精製穀物製品の代わりに全粒穀物を選びましょう。

飲酒する場合は、量を制限しましょう。

・女性は１日１ドリンク、男性は１日２ドリンクを限度としましょう。

　ここで挙げられているのは、「野菜」「果物」「全粒穀物」「加工肉」「赤肉」「飲酒」という、「食物」についての助言のみです。「脂肪」「食物繊維」「ビタミン」など、「栄養素」についての助言はありません。さらに、サプリメントや健康食品の利用を勧めるような助言もありません。

３　多くの医学ガイドラインで採用されている「グレード判定」をしていません。患者の治療についてのガイドラインでは、治療法の有用性についての科学的根拠の質が高いか低いかに応じて、「十分な根拠がある」「相応の根拠がある」「証拠不十分」などの段階的なグレード判定をするのが普通です。実際、がん生存者の食事についての米国対がん協会のガイドラインでも、２００１年の第１版と２００３年の第２版では、こうしたグレード判定をしていました。第１版と第２版のまとめの表を図表３と図表４に示します。けれども、２００６年の第３版と今回の

図表3　2001年第1版ガイドラインの判定

要因	前立腺がん	乳がん	消化器がん	肺がん
食品衛生（調理時の衛生や冷蔵保存など）	A1	A1	A1	A1
治療期間中の意図的な減量（肥満の場合）	E	E	E	E
回復後の意図的な減量（肥満の場合）	B	A2	A3	B
脂肪を減らす	A3	A2	A3	B
野菜と果物を増やす	B	A3	A2	A2
運動量を増やす	A3	A2	A2	B
アルコールを減らす	B	A3	A3	B
断食療法	D	D	D	D
ジュース療法（野菜果物ジュース中心の食事）	B	A3	A3	A3
マクロバイオティック療法（穀類・野菜・豆類・海藻を中心とする東洋風の食事）	C	C	C	C
ヴェジタリアン（菜食主義者）の食事	A3	A3	A2	A3
ビタミンとミネラルのサプリメント	A3	B	B	C
亜麻仁油	B	B	B	B
魚油	B	B	A3	B
しょうが	B	B	B	B
大豆食品	C	C	B	B
お茶	B	B	B	B
ビタミンEのサプリメント	A3	B	B	B
ビタミンCのサプリメント	B	B	B	B
ベータカロテンのサプリメント	C	C	C	E
セレン	A3	B	A3	A3

A1　利益が証明されている
A2　おそらく利益があるが、証明はされていない
A3　利益の可能性があるが、証明はされていない
B　利益やリスクについて結論するだけの、十分な知見がない
C　利益の可能性を示す知見と、有害な可能性を示す知見が、両方ある
D　利益がないことを示す知見がある
E　有害なことを示す知見がある

CA Cancer J Clin 2001; 51: 153-187.

図表4　2003年第2版ガイドラインの判定

	乳がん			大腸がん			肺がん			前立腺がん		
	再発	生存*	生活の質	再発	生存*	生活の質	再発	生存*	生活の質	再発	生存*	生活の質
健康体重の維持												
治療中	A3	B	B	A3	B	B	A3	A2	A2	B	B	B
治療後	A2	A2	A2	A3	A2	A2	A3	A2	A3	B	A2	A3
運動の増加												
治療中	B	B	A2	B	A3	A2	B	B	B	B	B	A3
治療後	A3	A3	A2	A3	A2	A2	B	A2	A3	B	A2	A2
摂取量の減少												
総脂肪	B	B	B	B	B	B	B	B	B	B	B	B
飽和脂肪酸	B	A2	A3	A3	A3	B	B	A3	B	A3	A2	B
摂取量の増加												
野菜と果物	A3	A3	B	A3	A3	B	A2	A3	B	A3	A2	A3
食物繊維	B	B	B	B	A3	B	B	B	B	B	B	B
n-3系脂肪酸	B	B	B	B	B	B	B	A3	B	B	B	B
大豆	B	B	B	B	B	B	B	B	B	B	B	B

* 心疾患による死亡も含む。

グレード判定

A1　がん生存者における有効性を示す、確実な科学的根拠がある。
A2　がん生存者において、おそらく確実に有効性がある。
A3　がん生存者において、有効な可能性がある。
B　がん生存者における有効性と害について結論するだけの、十分な科学的根拠がない。
C　がん生存者において、有効性がないことを示す科学的根拠がある。
D　がん生存者において、害があることを示す科学的根拠がある。

CA Cancer J Clin 2003; 53: 268-291.

２０１２年の第４版では、グレード判定をやめています。グレード判定をするに足るだけの十分な研究がないため、無理のある判定をせずに、「……しましょう」とストレートに助言するスタイルを採用したのだと思います。

今回の第４版ガイドラインが、「食物」について「シンプル」で「グレード判定」のないストレートな助言をしている背景には、２つの事情があります。第１に、特定の栄養素が、がん体験者の経過を改善するかどうか、まだ十分に分かっていないという研究の現状があります。低脂肪食が早期乳がんの再発率を改善するかどうかを調べた臨床試験の現状を、さきに説明しました。そのため、「栄養素」の意義を過度に強調するのではなく、「食物」について助言をしているわけです。

第２に、がん体験者の経過を改善するかどうか十分に分かっていないのは、「栄養素」に留まらず「食物」にも当てはまります。そのため、健康な人ががんになるのを予防するための助言を、すでにがんになった人の助言としても活用しているわけです。その前提として、健康な人ががんになるのを予防するのに役立つ食事は、すでにがんになった人の経過を改善するのにも有用だろうという推測があります。

同じような推測は、他の機関が公表しているガイドラインにも見られます。代表例は、２００７年に世界がん研究基金（World Cancer Research Fund）と米国がん研究機関（American Institute for Cancer Research）が共同で公表した報告書「食物、栄養、運動とがん予防―グローバルな視点から―」（Food, Nutrition, Physical Activity, and the Prevention of Cancer: a Global Perspective）のガイドラインです。報告書は、がんと食事や運動との関係を調べた論文約７０００件を網羅的に調べ、図表5のような10項目の指針を示しています。

指針の10番目をご覧ください。「治療後のがん体験者は、がん予防のための上記の「9項目の」推奨にならう」とされています。報告書を作成した委員会は、当初、健康な人ががんになるのを予防するガイドラインとは別に、すでにがんになった人の経過を改善するためのガイドラインも作成することを目指していました。けれども、それまでに公表され

図表5　世界がん研究基金と米国がん研究機関のがん予防指針（2007年）

1　やせ（BMI 18.5未満）にならない範囲で、できるだけ体重を減らす。
2　毎日30分以上の運動をする（早歩きのような中等度の運動）。
3　高カロリーの食品を控え目にし、糖分を加えた飲料を避ける（ファストフードやソフトドリンクなど）。
4　いろいろな野菜、果物、全粒穀類、豆類を食べる（野菜と果物は1日400g以上）。
5　肉類（牛・豚・羊等。鶏肉は除く）を控え目にし、加工肉（ハム・ベーコン・ソーセージ等）を避ける（肉類は週500g未満）。
6　アルコール飲料を飲むなら、男性は1日2ドリンク、女性は1ドリンクまでにする（1ドリンクはアルコール10～15gに相当）。
7　塩分の多い食品を控え目にする。
8　がん予防の目的でサプリメントを使わない。
9　生後6か月までは母乳のみで育てるようにする（母親の乳がん予防と小児の肥満予防）。
10　治療後のがん体験者は、がん予防のための上記の推奨にならう。

World Cancer Research Fund / American Institute for Cancer Research. Food, Nutrition, Physical Activity, and the Prevention of Cancer: a Global Perspective. Washington DC: AICR, 2007.

た論文を網羅的に調べ上げたところ、すでにがんになった人の食事や運動と再発率・生存率についての研究は少ないことが分かりました。そのため、独自のガイドラインを作成することを断念し、「治療後のがん体験者は、「健康な人を対象にした」がん予防のための……推奨にならう」という指針を示しました。米国対がん協会による今回のガイドラインと同様に、健康な人ががんになるのを予防するのに役立つ食事は、すでにがんになった人の経過を改善するのにも有用だろうという推測をしているわけです。なお、世界がん研究基金と米国がん研究機関のこのガイドラインについての、よりくわしい説明は、私のブログ「疫学批評」の記事「食生活と疾病予防に関する国際機関の報告書」を参照してください。

http://blog.livedoor.jp/ytsubono/archives/51258416.html

5 ガイドラインをどう読み活用するか

読者のみなさんは、今回のガイドラインを見て、どんな感想を持たれたでしょうか。「最新の研究成果を反映」していると言いながら、あまりのシンプルさに、拍子抜けした方も多いでしょう。「食事でがんを治す」ことを謳い、あれこれの栄養素の善し悪しを断言するような「食事療法」の情報が、世の中にはあふれています。そうした情報と、今回のガイドラインのシンプルさとのギャップに、驚かれた方もいると思います。

　そうしたギャップを念頭に置きながら、今回のガイドラインをどのように受けとめ活用すればよいか、いくつかアドバイスをさせていただきます。

　第1に、読者のみなさんに、「安心」していただきたいと思います。このガイドラインは、最新の科学的な研究の状況について、その進歩と限界の両方を踏まえて作成されています。ですから、重要な情報を見逃しているのではないかと、心配する必要はありません。世の中に流通するいろいろな情報に混乱してとまどう必要もありません。このガイドラインで勧められていることを実行すれば十分です。それ以外の情報は、科学的な裏付けが不十分な話として、参考程度に受けとめていただいて差し支えありません。

第2に、「食事でがんを治す」ことを謳い、あれこれの栄養素の善し悪しを断言するような「食事療法」の情報は、注意深く距離を置いて受けとめていただきたいと思います。こうした「食事療法」の中には、歴史の古いものもありますが、その有効性や安全性についての科学的根拠は、じっさいのところ不十分です。科学的根拠としてもっとも質の高い、「臨床試験や追跡調査の総合評価」による裏付けはありません。それよりはるかに質の低い、「症例報告」や「培養細胞や実験動物での研究」しかない場合が大半です。中には、質の低い科学的根拠すら存在せず、「食事療法」を提唱する人の独自の「理論」や「カリスマ」のみが根拠になっている場合も少なくありません。

このような「食事療法」を真に受けることには、十分慎重になっていただきたいと思います。「食事療法」を提唱する人には、「情報としてもっとも質の高い『臨床試験や追跡調査の総合評価』によって、有効性や安全性が確認されていますか？」と、シンプルに尋ねてみてください。「食事療法」を提唱する人には、その有効性と安全性についての科学的根拠をきちんと示す説明責任があります。がん体験者の方々が、特定の「食事療法」や健康食品に身を委ねる前に、その提唱者や販売者が説明責任を果たしているか否かを、確かめていただきたいと思います。

今回のガイドラインを参考にしながら、がん体験者と家族の方々が、「しない方がよいこと」と「した方がよいこと」を、さらに説明します。

「しない方がよいこと」は、次の点です。

・有用性が確認されている通常の治療（手術、放射線、抗がん剤など）を受けずに、世間で宣伝されている「食事療法」や健康食品だけに頼って、がんを治そうとすること。

これはたいへん危険な選択です。有効性や安全性についての科学的根拠が不十分か全くないような「食事療法」や健康食品だけに身を委ねることは、避けていただきたいと思います。かりにこうした「食事療法」

や健康食品を利用すると決めた場合でも、有用性が確認されている通常の治療を受けながら、あくまでもそれと併用する形で利用することが賢明です。

「した方がよいこと」は、次の点です。

・今回のガイドラインを参考に、それまでの食事や運動の習慣を見直し、できることから改善すること。

これは当たり前のように聞こえるかも知れませんが、あらためて強調しておきたいと思います。一部のがん医療の専門家が、がんになってからの食事について、再発率や生存率を改善する質の高い科学的根拠がないのだから、「なんでも好きな物を好きなように食べればよい」と患者さんに伝えていると耳にすることがあります。けれども筆者は、これも行き過ぎた立場だと考えています。

がんになったことをきっかけに、それまでの生活習慣を見直し、食事、運動、禁煙など、できることから始めてみる。自分の生活の立て直しを図ることじたいに、積極的な意味があると筆者は考えます。医師が指示する治療を受けるだけの受動的な立場から、身近な生活習慣を自発的に見直し改善する能動的な立場に変わる。そのことで、がんと共に生きる際の主導権を、当事者が取り戻すことにつながるでしょう。

また、がんと共に生きる期間が長くなれば、最初のがんの再発や転移だけではなく、他の部位のがんになることや、糖尿病・心臓病・脳卒中など他の病気になる可能性も考える必要が出てきます。今回のガイドラインは、これらの病気の予防のためにも有用ですので、活用する価値があります。

6 たくさんの「食事療法」や健康食品があるのに、なぜ十分な科学的研究がないのか

古いものから新しいものまで、いろいろながんの「食事療法」があり

ます。「食事でがんを治す」ことを謳い、あれこれの栄養素の善し悪しを断言する「専門家」もいます。サプリメントや健康食品もたくさんあります。けれども実際には、がん体験者がどんな食事をすれば再発や進行を防げるのか、「科学的に十分確認されている」情報は、まだありません。

このようなギャップがなぜあるのか、疑問に思われるでしょう。その背景にある事情を、いくつか説明します。

第1に、がんの再発や進行の抑制に対する食事療法やサプリメントの有効性と安全性を、きちんとした科学的方法で評価するには、多大な手間と時間と費用がかかります。先に紹介した、早期乳がんに対する低脂肪食の有用性を評価した「ＷＩＮＳ試験」と「ＷＨＥＬ試験」を思い出してください。研究の趣旨を理解し、参加に同意してくれる早期乳がんの女性を、大勢（２４３７人や３０８８人）募集します。参加者を、くじ引きと同様の方法で、低脂肪食の食事療法を行うグループと、一般的な食事指導やパンフ配布のみを行うグループに分けます。くじ引きと同様の方法でグループ分けすることで、２つのグループの特性（病気の進行度、治療の内容、それまでの食生活など）を揃えることができるので、食事療法の影響をより正確に評価できるようになります。けれども、どちらのグループに入るのかを、参加者が選ぶわけではありません。この点を事前に説明して、研究参加への同意を得る必要があります。同意を得た参加者を２０００人も３０００人も集めるのは、それだけでたいへんな事業です。

また、低脂肪食の食事療法を行うグループに分けられた参加者には、栄養士などの専門家が密度の高い教育を定期的に行います。人の食生活を変えるのは、簡単なことではありません。それまでの食生活を変え、集団レベルで脂肪摂取を目に見える形で減らすような教育を行うことは、ひじょうな手間がかかる話です。さらに、２つのグループを長期間（平均5年と7・3年）にわたり追跡し、乳がんの再発の有無などを調べ、再発があれば（本人の了解を得て）病院のカルテからくわしい情報を集めます。これだけの手間と時間をかけた研究を行うには、億単位の多額の費用が必要になります。

第2に、手間と時間と費用がかかるにもかかわらず、研究を行う側には経済的なメリットがありません。製薬企業が新しい成分の抗がん剤の開発に成功すれば、一定期間特許で守られ、製造販売する製薬企業に大きな利益をもたらします。この利益を得るための投資として、多額の費用がかかる臨床試験を行うインセンティブがあるわけです。これに対して、がんの食事療法、健康食品、サプリメントには、抗がん剤のようなインセンティブがありません。低脂肪食で特許を得ることはできません。健康食品やサプリメントも、すでに化学構造の知られた成分が使われているので、特許を取って利益を独占することはできません。経済的な利益を産まない研究の実施を、私企業に期待することは現実的ではありません。そのため、がんの食事療法やサプリメントの臨床試験を行うためには、政府や米国対がん協会のような公益法人などの公的資金による助成が不可欠です。

米国でも、がんになってからの食事療法をしっかりした科学的方法で評価することに関心が集まり、政府などの公的資金が投入されるようになったのは、最近の話です。がんの食事療法について最初の大規模な臨床試験である「ＷＩＮＳ試験」が報告されたのは、２００６年とつい先日です。運動ががん体験者の再発や生存におよぼす効果を調べる大規模な臨床試験の報告はまだ1件もなく、初めての研究がカナダとオーストラリアの大腸がん体験者を対象に、２００９年に始められたばかりです。結果が報告されるまでにはしばらく時間がかかるでしょう。要するに、がんの食事療法や運動療法に対して、本格的な科学のメスが入るようになったのは、つい最近のことなのです。

　第3に、こうした科学の動向とは別に、がんの「食事療法」は古くからいろいろなものがあり、がん患者を念頭に置いた健康食品も以前から売られています。「食事療法」の場合、提唱者の独自の「理論」やカリスマを根拠にしている場合が少なくありません。「理論」を支持するとする「証拠」が示される場合もありますが、きちんとした手続きを踏んで専門誌に報告された論文ではなく、「食事療法で良くなった」という個人の体験談などに留まる場合が大半です。

　個人の体験談の場合、「良くなった」と言っても、「食事療法」じたいの効果なのか、同時に受けていた通常の治療のせいなのか、区別することはできません。情報としての質が、はるかに低いのです。また、きちんとした手続きを踏んで専門誌に報告された論文であっても、情報として質の高いものと低いものがあります。例えば、培養細胞や実験動物での研究結果がヒトにも当てはまるとは限りません。むしろ、培養細胞や実験動物での研究は、じっさいの人間での確認にまで至らない場合が大半です。人間を対象にした研究でも、図表６に示すように、信頼性が高いものも低いものもあります。少数の症例報告や、患者と比較群で過去の食事を思い出してもらい比べる研究（症例対照研究）の結果は、一般にあまり参考になりません。健康な集団やがん体験者の集団の日常的な食事を調査した後で何年間か追跡を行い、特定の食物や栄養素を多く食べる群と少なく食べる群でがんの発生率・再発率・生存率を比べる追跡調査（前向きコホート研究）は、比較的参考になります。また、健康な

図表６　人間を対象にした研究方法の信頼性

研究方法	信頼性
複数の臨床試験や追跡調査の総合評価 （システマティックレビューとメタ分析）	高
臨床試験（ランダム化比較試験）	
追跡調査（前向きコホート研究）	
患者と非患者の比較（症例対照研究）	
症例報告	低

集団やがん体験者の集団をくじ引きと同様の方法でグループ分けし（ランダム化）、一方の群には研究者が積極的に食事療法やサプリメントの投与を行い、他方の群には行わず、何年間かの追跡をして、両群でのがんの発生率・再発率・生存率を比べる臨床試験（ランダム化比較試験）は、単一の研究としてはもっとも参考になります。

　けれども、どんなに優れた追跡調査や臨床試験でも、一つの研究結果だけで結論を出すことはできません。「ＷＩＮＳ試験」

と「ＷＨＥＬ試験」のように、おなじテーマで行われた臨床試験の結果が一致しないことも多いのです。そのため、おなじテーマで行われた複数の追跡調査や臨床試験の論文を集めた総合評価（システマティックレビューとメタ分析）が、もっとも質の高い情報になります。この総合評価で有効性と安全性が確認された情報は、「実践段階」にあると考えてよいでしょう。しかもこの場合の「有効性」は、「免疫機能」や「抗酸化能」などの検査データが改善したというような「中途段階」の指標ではなく、じっさいの発生率・再発率・生存率が改善したという「最終段階」の指標で、確認されていることが必要です。

　いっぽう、この段階にまで至らない、単一の臨床試験や追跡調査、それより質の低い症例対照研究や症例報告などの証拠しかない情報は、まだ「研究段階」だと考えて、過大視しないことが大切です。さらに、「研究段階」の証拠もなく、提唱者の独自の「理論」やカリスマ、治ったとする体験談のみに基づく情報は、鵜呑みにしないことが適切でしょう。けっきょく、「証拠」として持ち出される情報の質が高いか低いかに、十分な注意を払うことが大切になるわけです。

筆者は、図表7のようなフローチャートを使って健康情報の質を判断し活用する方法を提唱しています。くわしくは、私の著書『食物とがん予防―健康情報をどう読むか』（文春新書）や、筆者のフローチャートをもとにした国立健康・栄養研究所のサイト「「健康食品」の安全性・有効性情報」の記事「科学的根拠のある情報とは？」（http://hfnet.nih.go.jp/contents/detail771.html）を参考にしてください。

第4に、「実践段階」ではなく、「研究段階」の情報や、提唱者の独自の「理論」だけに基づく食事療法や健康食品だったとしても、少しでも「可能性」があるなら試みる価値があるのではないか。そう思われるかも知れません。また、情報の信頼性が高いか低いかを自分で判断しろと言われても困る、むしろ誰かに「こうしなさい、そうすれば治る」と断言してもらった方が安心だ。そう考える向きもあるかも知れません。がんになって、その後どんな食事や生活をすればよいのか、懸命に情報を集めているがん体験者や家族の方々にとっては切実です。

図表７　健康情報の信頼性を評価するためのフローチャート

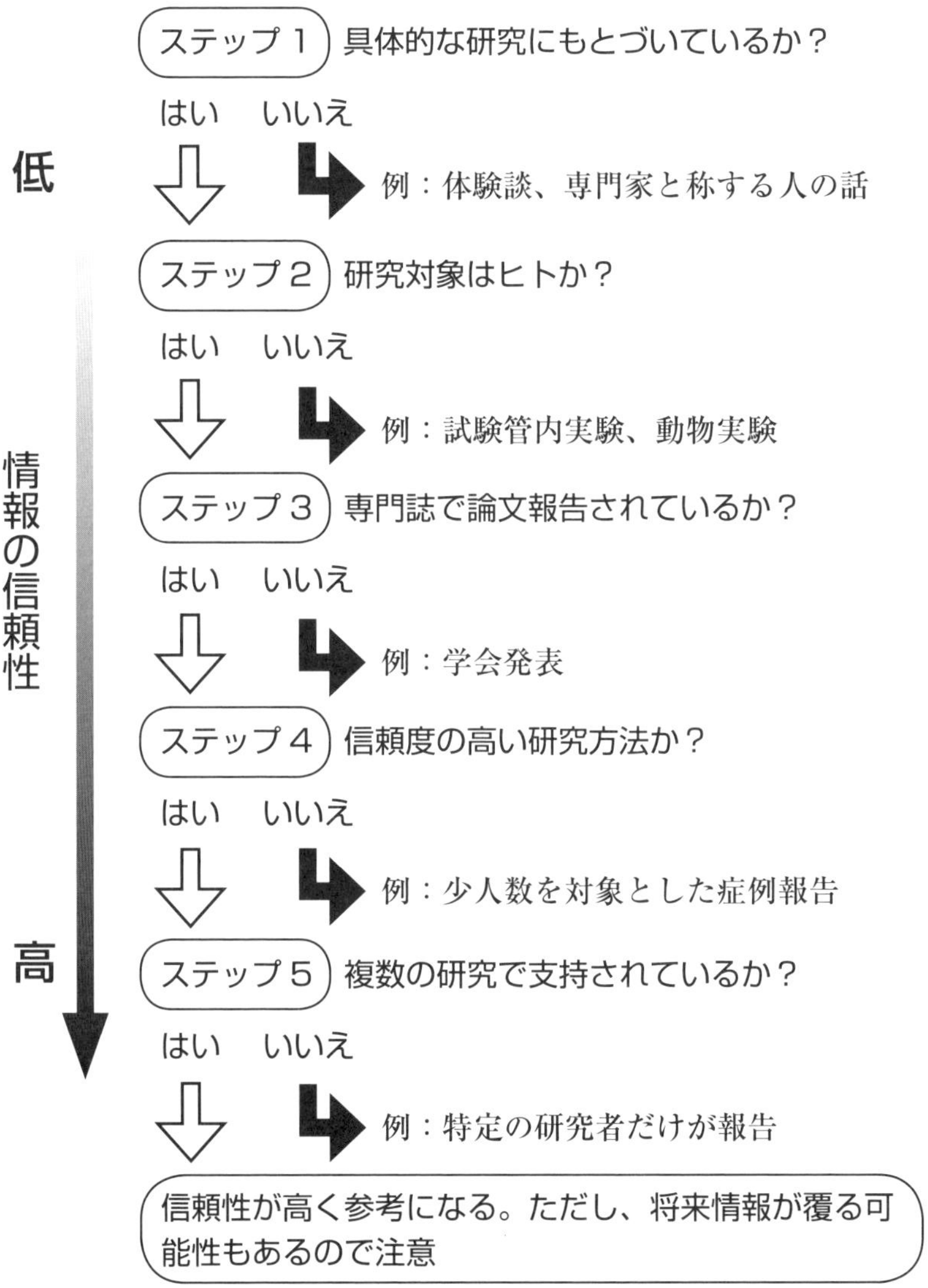
低
情報の信頼性
高
ステップ１
具体的な研究にもとづいているか？
はい
いいえ
例：体験談、専門家と称する人の話
ステップ２
研究対象はヒトか？
はい
いいえ
例：試験管内実験、動物実験
ステップ３
専門誌で論文報告されているか？
はい
いいえ
例：学会発表
ステップ４
信頼度の高い研究方法か？
はい
いいえ
例：少人数を対象とした症例報告
ステップ５
複数の研究で支持されているか？
はい
いいえ
例：特定の研究者だけが報告
信頼性が高く参考になる。ただし、将来情報が覆る可能性もあるので注意

けれども一方、こうした切実な思いを逆手に取り、「効いた」とする体験談を捏造して健康食品を販売し摘発された事例もあります。また、独自の「理論」を提唱して「こうしなさい、そうすれば治る」と断言する人物の主張を鵜呑みにして、有用性が確認されている通常の治療（手術・放射線・抗がん剤）を受けずに、結果的に治療の機会を失ってしまうケースも少なくありません。

不確実な情報をもとに、自分で判断を下すのは、誰にとっても難しいことです。人から「これが確実だ」と「断言」してもらった方が、気が楽かも知れません。けれども、確実でないものを確実だと主張し、断言できないものを断言することが、果たして適切でしょうか。

米国対がん協会が今回示したガイドラインは、とてもシンプルです。拍子抜けするほどシンプルと言ってもよいでしょう。けれどもこれが、今日までの最新の研究成果に基づくベスト・アドバイスなのです。ここで勧められていることを、積極的に生活に取り入れましょう。それ以外のことは、あまり気にする必要はありません。とりわけ、極端な食事制限を要求するような独自の「食事療法」や、高価な健康食品を購入することには、十分慎重になりましょう。

食事は、ひとの生活の基本です。私たちがものを食べるのは、生命を維持するのに必要な栄養素をからだに取り込むことだけが目的ではありません。家族や友人と交わり、季節や自然の恵みを感じ、食事が産み出された歴史や文化とつながるための営みでもあります。食事を通して、生活を楽しみ歓ぶ。それは、がんになる前も後も、変わらないはずです。がんになった後の食生活を、「治療」の手段としてだけ、狭く考える必要はありません。自分の生活習慣を見直し、再建し、がんと共に生きる人生の主導権を握り直す。そのための手引きとして、今回のガイドラインを活用していただければ幸いです。

7 おわりに

最後に、いくつか補足です。

第1に、ガイドラインの本文は、がん診療に携わる医師や栄養士などの専門家を対象にして書かれており、専門用語が説明なしに使われています。そのため、専門用語には訳注を付け、理解の助けになるようにしました。また、できるだけ分かりやすい訳文になるよう心がけましたが、基本的には原文を忠実に訳し、大きな意訳や省略はしませんでした。

第2に、今回のガイドラインでは、がん「患者」（patient）ではなく、「生存者」（survivor）という表現が使われています。英語読みのまま「サバイバー」と使われることもあります。日本でも、幼児期の虐待経験などを切り抜けて成人した人を、心的外傷からの「生存者、サバイバー」と呼ぶことがあります。けれども、がんになった人のことを「生存者」と呼ぶことが、日本で十分定着しているわけではありません。

一度がんにかかった人は、医療との関係で考えれば「患者」であっても、患者であることが、その人の生活全体を支配するものではありません。がんになった人が、自分を医療の対象である「患者」として受動的になるのではなく、がんという大きな出来事をより主体的に受け止め、自分が主人公になって生きていく。「サバイバー」という表現が使われる背景には、１９９０年代から米国で活発になった、当事者の主張や運動があります。そのため、本文の翻訳では、「survivor」の語をそのまま「生存者」と訳しました。一方この解説では、「生存者」とおなじ意味で、適宜「体験者」「患者」などの表現を使いました。

　第3に、この解説で述べた「食事療法」は、がんの再発率や生存率を改善する「代替療法」としての食事という、狭い意味に限定しています。一方、ガイドラインの本文は、がんの再発率や生存率への影響に留まらず、食事が心理面を含めた生活の質におよぼす影響や、がんの症状や治療の副作用で食事が十分取れない時の対処法も含め、より広い文脈で食生活への助言をしています。この違いに注意していただきたいと思います。がん治療の副作用に対する食事の対処法については、『抗がん剤・放射線治療と食事のくふう』（静岡県立静岡がんセンター著、女子栄養大学出版部）がとても参考になります。また、健康食品をはじめとするがんの補完代替療法全般については、厚生労働省研究班のパンフレット「がんの補完代替医療ガイドブック（第3版）を参考にしてください(https://hfnet.nih.go.jp/usr/kiso/pamphlet/cam_guide_120222.pdf)。

おわりに、本書の出版に際して、多くの方々にご協力をいただきました。筆者が２００１年に米国対がん協会を訪問した時に第1版ガイドラインをご紹介くださり、今回の第4版の出版に際しても貴重なご教示をいただいた、同協会が発信する医療コンテンツの総責任者であり今回のガイドラインの統括著者でもあるTed Gansler先生。第1版の翻訳に引き続き多大なご助力をいただいた、株式会社法研制作部出版事業課長の岡日出夫さん。優れた訳者である村木美紀子さんをご紹介いただいた、株式会社アスカコーポレーション代表取締役の石岡映子さん。筆者が監修のお手伝いをしている、世界最高の臨床医学専門誌「ニューイングランド・ジャーナル・オブ・メディシン」(New England Journal of Medicine)の日本版を発行し、石岡映子さんをご紹介いただいた、株式会社南江堂洋書部の青柳三樹男さん、山岸広美さん、小山智子さん。原稿の編集にご協力いただいた、株式会社ウェルビの山下青史さん。人のつながりの連鎖により、本書を出版できたことを喜んでいます。ありがとうございました。

図表一覧

索引

太数字は、本文中で見出し掲載、または下段での注記解説を行っている箇所を示します。

■日本語版監修

坪野 吉孝（Tsubono, Yoshitaka）

医師・医学博士。早稲田大学大学院客員教授（政治学研究科ジャーナリズムコース）。
1962 年 東京都生まれ。1993 年 東北大学大学院医学研究科修了。国立がんセンター研究所、ハーバード大学公衆衛生大学院等を経て、2004 年 東北大学大学院教授 法学研究科（健康政策）・医学系研究科（臨床疫学分野）。 2011 年 山形さくら町病院精神科、早稲田大学大学院客員教授。

■翻訳

村木美紀子（Muraki, Mikiko）

翻訳家。薬剤師。
1967 年 和歌山県生まれ。 1990 年 武庫川女子大学薬学部卒業。2002 年 ハーバード大学公衆衛生大学院修了（理学修士）。 国内外の製薬会社や大学研究機関に勤務の後、現在はフリーランスで活動。 2010 年に子宮がんの治療を受ける。

「がん」になってからの食事と運動

—米国対がん協会の最新ガイドライン—

平成 25 年 6 月 25 日　第 1 刷発行
平成 30 年 11 月 30 日　第 3 刷発行

著　　者　米国対がん協会
監訳・解説　坪野吉孝
発 行 者　東島俊一
発 行 所　**株式会社 法 研**
東京都中央区銀座 1-10-1（〒 104-8104）
販売 03（3562）7671/ 編集 03（3562）7674
http://www.sociohealth.co.jp
印刷・製本　研友社印刷株式会社

0123

小社は（株）法研を核に「SOCIO HEALTH GROUP」を構成し、相互のネットワークにより、“社会保障及び健康に関する情報の社会的価値創造” を事業領域としています。その一環としての小社の出版事業にご注目ください。

ISBN 978-4-87954-952-5 定価はカバーに表示してあります。